中華國學經典百部

精華本

史记

［西汉］司马迁 著

王光波 译注

中国书店

图书在版编目（CIP）数据

史记 /（西汉）司马迁著；王光波译注 .—北京：中国书店，2023.10
（中华国学经典百部：精华本）
ISBN 978-7-5149-2963-8

Ⅰ . ①史… Ⅱ . ①司… ②王… Ⅲ . ①中国历史—古代史—纪传体②《史记》—译文 Ⅳ . ① K204.2

中国版本图书馆 CIP 数据核字（2022）第 075461 号

史记

〔西汉〕司马迁 著　王光波 译注

责任编辑：赵小波

出版发行：中国书店
地　　址：北京市西城区琉璃厂东街 115 号
邮　　编：100050
电　　话：（010）63171753（总编室）
　　　　　（010）63017857（发行部）
印　　刷：三河市嘉科万达彩色印刷有限公司
开　　本：787mm × 1092mm　1/32
版　　次：2023 年 10 月第 1 版第 1 次印刷
字　　数：120 千
印　　张：6（全 300）
书　　号：ISBN 978-7-5149-2963-8
定　　价：1490.00 元（全 50 册）

前言

中华民族有着五千年的文明史，历代王朝的兴衰与更迭，都为史学家提供了大量的素材，因此中国史学发达，史料丰富，最著名的当属“二十四史”。作为“二十四史”的第一部，《史记》是中国第一部纪传体史学著作，包罗万象，纵横万端，同时渗透着丰富的人文精神：有立德、立功、立言的入世精神，有自强不息、百折不挠的进取精神，有舍生取义、勇于牺牲的崇高精神，也有提倡仁政、批判暴政的人道精神……是一部影响深远的伟大著作。

《史记》为西汉著名文学家、史学家司马迁所作。它共一百三十卷，五十二万字，包括本纪、表、书、世家、列传等内容，记录了从上古传说中的黄帝到西汉汉武帝时期三千多年的历史。

本书经过慎重筛选，从本纪、书、世家、列传中节选出部分精彩的章节，从周本纪入手，到孔子世家、陈涉世家，一直到太公自序，对于春秋、战国时代的帝王将相，对于中原、荆楚、秦陇、云贵、塞北的民族都有所涉及。

本书将篇幅较长的故事分割成一段段独立的小故事，以方便读者阅读。在编译过程中，又分成了原文、注释、译文三个部分，其原文主要参照中华书局版，注释简洁，译文明了，是一本不可多得的史学读物。

鉴于本书编者精力、水平有限，在搜集材料、筛选和编撰过程中难免出现错误，您在阅读过程中如果发现了错误之处，敬请指正，我们将不胜感激。

目录

周本纪

一

【原文】

武王即位，太公望为师，周公旦为辅[①]，召公、毕公之徒左右王，师修文王绪业[②]。

【注释】

①辅：辅相。

②绪业：未完成的事业。

【译文】

周武王登上王位后，任命太公望为太师，任命周公旦为辅相，用召公、毕公这些人来辅佐他，视文王为学习榜样并继承他的事业。

二

【原文】

二月甲子昧爽，武王朝至于商郊牧野，乃誓。武王左杖黄钺，右秉白旄，以麾[①]。曰："远矣，西土之人！"武王曰："嗟！我有国冢君，司徒、司马、司空，亚旅、师氏，千夫长、百夫长，及庸、蜀、羌、髳、微、纑、彭、濮人，称尔戈，比尔干，立尔矛，予其誓。"王曰："古人有言'牝鸡无晨。牝鸡之晨，惟家之索'。今殷王纣维妇人言是用，自弃其先祖肆祀[②]不答，昏弃其家国，遗其王父母弟不用，乃维四方之多罪逋[③]逃是崇是长，是信是使，俾暴虐于百姓，以奸轨于商国。今予发维共行天之罚。今日之事，不过六步七步，乃止齐焉，夫子勉哉！不过于四伐五伐六伐七伐，乃止齐焉，勉哉夫子！尚桓桓，如虎如罴，如豺如离，于商郊，不御克奔，以役西土，勉哉夫子！尔所不勉，其于尔身有戮。”誓已，诸侯兵会者车四千乘，陈师牧野。

【注释】

①麾：通“挥”，晃动。

②肆祀：以全牛全羊祭祀祖先。

③逋（bū）：逃跑，逃亡。

【译文】

周历二月的甲子日拂晓，武王很早就到了商都郊外的牧野，负责主持誓师会。武王左手持着黄钺，右手拿着牦牛尾装饰的白旗，以号令全军。他说：“辛苦了，远道而来的人们！”武王说：“啊！我的友邦诸侯们，司徒、司马、司空、亚旅、师氏们，千夫长、百夫长等各位将士，以及庸、蜀、羌、髳、微、纑、彭、濮各国的人，请高举你们的长戈，排好你们的盾牌，有序地竖起你们的长矛，让我们一起来宣誓！”武王说：“古人曾说‘母鸡不会在黎明啼叫。如果哪家的母鸡在黎明啼叫，那么这个家庭就会毁败’。如今殷纣王只听信妇人之言，废弃了他对祖先的祭祀，不敬鬼神；抛弃了国家朝政，抛开亲族兄弟不予任用，却对那些来自四方、罪恶多端的逃犯既推崇又敬重，并且信任他们，任用他们，任由他们欺压百姓，让他们在商国胡作非为。现在我要恭敬地去执行上天对商朝的惩罚。今天作战，每次前进的步子不超出六七步，就停下整顿一下队伍，大家要努力！用武器去刺击敌人时，达到四五次、六七次时，就停下来整顿一下队伍，继续前进。各位将士，努力吧！希望大家都能够威风勇武，犹如猛虎，犹如熊罴，犹如豺狼，犹如蛟龙。在商都的郊外作战，不要阻挡前来投降的殷国士兵，让他们来帮助我们西方人，各位将士，努力吧！如果你们不努力，你们就将遭受杀戮！”誓师完毕，诸侯的军队会合于一处，共有四千乘战车，在牧野摆开了强大的阵势。

三

【原文】

帝纣闻武王来，亦发兵七十万人距武王。武王使师尚父与百夫致师[①]，以大卒驰帝纣师。纣师虽众，皆无战之心，心欲武王亟入。纣师皆倒兵以战，以开武王。武王驰之，纣兵皆崩畔纣。纣走，反入登于鹿台之上，蒙衣其殊玉，自燔于火而死。武王持大白旗以麾诸侯，诸侯毕拜武王，武王乃揖诸侯，诸侯毕从。武王至商国[②]，商国百姓咸待于郊。于是武王使群臣告语商百姓曰：“上天降休！”商人皆再拜稽首，武王亦答拜。遂入，至纣死所。武王自射之，三发而后下车，以轻剑击之，以黄钺斩纣头，县大白之旗。已而至纣之嬖妾二女，二女皆经自杀。武王又射三发，击以剑，斩以玄钺，县其头小白之旗。武王已乃出复军。

【注释】

①致师：挑战。

②商国：商朝的国都。

【译文】

帝纣听说武王带兵进攻，也发兵七十万人马来抵御武王。武王派遣师尚父带领百名勇士与其挑战，勇士以战车进攻殷纣的军队。帝纣的军队虽然人数众多，却没有斗志，期盼武王尽快攻入国都。帝纣的军队都掉转过来进攻自己的人马，为武王开路。武王驱使战车快速冲了进来，使得帝纣的军队全部溃败，并背叛了纣王。纣王败逃，撤回城中，登上鹿台，穿上镶有珠宝的服饰，投入火中自焚而死。武王手拿太白旗从容地指挥着各地诸侯，诸侯都向武王行参拜礼，武王作揖向各地诸侯还礼，诸侯全都臣服于武王。武王进入商都后，商都的老百姓都在郊外迎接武王。于是武王派遣群臣告诉商都的百姓："上天降福给大家！"商都的百姓再次叩头拜谢，武王也向他们行了回拜礼。接着武王进入了城中，找到纣王火中自焚的地方。武王亲自朝着纣王的尸体射箭，连射三箭后走下战车，又用身上佩带的轻吕宝剑来砍他的尸体，用铜斧斩下了纣王的头，悬挂于白旗杆上。然后又来到纣王两个宠妃的居所，两个宠妃都已上吊自杀。武王又朝着她们的尸体连射三箭，用剑刺她们的尸体，用黑斧砍下她们的头颅，悬挂于白旗杆上。武王做完了这些事后，才出城回到军营中。

四

【原文】

其明日，除道，修社及商纣宫。及期，百夫荷罕旗[①]以先驱。武王弟叔振铎奉陈常车[②]，周公旦把大钺，毕公把小钺，以夹武王。散宜生、太颠、闳夭皆执剑以卫武王。既入，立于社南大卒之左，左右毕从。毛叔郑奉明水，卫康叔封布兹[③]，召公奭赞采，师尚父牵牲。尹佚筴祝曰："殷之末孙季纣，殄废[④]先王明德，侮蔑神祇不祀，昏暴商邑百姓，其章显闻于天皇上帝。"于是武王再拜稽首，曰："膺更大命，革殷，受天明命。"武王又再拜稽首，乃出。

【注释】

①罕旗：九旒云罕，天子仪仗旗。

②常车：插有太常旗的车子。

③布兹：把草席铺在地上。

④殄（tiǎn）废：败坏。

【译文】

第二天，武王派自己的手下清理道路，修缮祭祀土神所用的社坛和商纣的王宫。到动工的时候，由一百名士兵扛着带有几条飘带的云罕旗为武王开道。武王的弟弟叔振铎为武王赶着车子，周公旦手拿大钺，毕公手拿小钺，站在武王两侧护卫。散宜生、太颠、闳夭的手里都拿着宝剑护卫武王。进了社庙，武王站在社庙的南面，大部队站在左边，左右护卫都跟随在他身边。毛叔郑手捧玄酒，卫康叔把草席子铺在地上，召公奭献上供品，师尚父牵着祭祀用的牲畜，伊佚诵读祝祭神文字，说："殷朝的末代子孙名叫纣，败坏了先王积攒的善德，轻慢天地鬼神，不去祭祀，祸害商邑的老百姓，他罪恶显著，都被天皇上帝知道了。"于是武王两次叩拜，说："秉承上天之命，推翻了殷朝政权，接受上天给予的圣明旨命。"武王又跪拜两次，然后起身离开社庙。

项羽本纪

一

【原文】

项籍者，下相人也，字羽。初起时，年二十四。其季父项梁，梁父即楚将项燕，为秦将王翦[①]所戮者也。项氏世世为楚将，封于项，故姓项氏。

项籍少时，学书不成，去学剑，又不成。项梁怒之。

籍曰：“书，足以记名姓而已；剑，一人敌，不足学，学万人敌。”于是项梁乃教籍兵法，籍大喜，略知其意，又不肯竟[2]学。项梁尝有栎阳逮，乃请蕲狱掾[3]曹咎书抵栎阳狱掾司马欣，以故事得已。项梁杀人，与籍避仇于吴中。吴中贤士大夫皆出项梁下。每吴中有大繇役及丧，项梁常为主办，阴以兵法部勒宾客及子弟，以是知其能。秦始皇帝游会稽，渡浙江，梁与籍俱观。籍曰：“彼可取而代也。”梁掩其口，曰：“毋妄言，族矣！”梁以此奇籍。籍长八尺馀，力能扛鼎，才气过人，虽吴中子弟皆已惮籍矣。

【注释】

①王翦：秦始皇前期的名将。

②竟：完成。

③狱掾（yuàn）：担任监狱官职的吏属。

【译文】

项籍是下相人，字羽。开始起兵反秦的时候，年龄为二十四岁。他的叔父名为项梁，项梁的父亲就是项燕，曾是楚国的大将，被秦国名将王翦所杀。项氏家族世代都是楚国的将领，被封于项地，所以他们就以“项”为姓氏了。

项籍少年时期，开始学习写字，没有学成就放弃了，于是又去学剑，又没有学成。项梁对他的表现非常生气。项籍说：“学习文字能够用来写自己的名字就可以了，学习剑术能够对抗一个人就可以了，这些都不值得去学，我要学习能够对抗万人的本领！”于是项梁就教授他兵法。项籍非常高兴，但他仍是略知其意，不肯认真学完。项梁曾因栎阳罪案受到牵连，于是他就请蕲县狱吏曹咎写了一封求情信呈给栎阳狱吏司马欣，才得以了结。后来，项梁又杀了人，与项籍一块儿逃往吴中。吴中有才能的士大夫都比不上项梁。每当吴中有大的徭役或是丧葬事宜，项梁常常主持操办，在办这些事情时，项梁会在暗中以兵法部署宾客和子弟。秦始皇巡视会稽，在渡过钱塘江之际，项梁与项籍一同前去观看。项籍说："我可以取代那个人！"项梁听后，赶紧捂住他的嘴，说："不可胡说，这会灭族的！"项梁从此认为项籍不是一般人。项籍的身高有八尺多，力量过人，能举起大鼎，吴中子弟都很畏惧项籍。

二

【原文】

项羽已杀卿子冠军，威震楚国，名闻诸侯。乃遣当阳君、蒲将军将卒二万渡河，救巨鹿。战少利，陈馀复请兵。项羽乃悉引兵渡河，皆沉船，破釜甑，烧庐舍，持三日粮，以示士卒必死，无一还心。于是至则围王离，与秦军遇，九战，绝其甬道，大破之，杀苏角，虏王离。涉间不降楚，自烧杀。当是时，楚兵冠诸侯。诸侯军救巨鹿下者十余壁[①]，莫敢纵兵。及楚击秦，诸将皆从壁上观。楚战士无不一以当十，楚兵呼声动天，诸侯军无不人人惴恐[②]。于是已破秦军，项羽召见诸侯将，入辕门，无不膝行而前，莫敢仰视。项羽由是始为诸侯上将军，诸侯皆属焉。

【注释】

①壁：营垒，堡垒。

②惴恐：恐惧，惊恐。

【译文】

项羽在杀掉卿子冠军宋义后，名声顿时威震楚国，名扬诸侯。接着他派遣当阳君、蒲将军带领两万人马渡过漳河，救援巨鹿。战争取得了初步的胜利，陈馀又来向项羽请求增援。项羽就带领全军渡过漳河，过河后，他下令把全部船只沉入河底，把锅碗全部砸破，把营帐全部烧掉，只带了三天的军粮，以此向将士们显示要决一死战，没有任何退路的决心。部队抵达巨鹿后，立即包围了王离的军队，与秦军展开战斗，经过多次交战，终于阻断了秦军的甬道，大破秦军，杀掉苏角，俘获了王离。涉间不肯投降楚军，自焚而死。当两军交战之际，楚军强大无比。前来援救巨鹿的诸侯中，驻扎的营垒就有十几座，却没有哪个敢发兵与秦军交战。到项羽带领的楚军攻打秦军时，各路援军的将士都在营垒中远远观望。项羽带领的楚军无不以一当十，真可谓杀声震天，前来援助的援军见此场景无不战栗胆寒。项羽大败秦军后，召见各路将领，当他们走入辕门时，一个个弯曲膝盖跪着向前行走，没有谁敢抬头往上看一眼。自此以后，项羽成了各路诸侯的上将军，他们都归项羽统领。

三

【原文】

居数日，项羽引兵西屠咸阳，杀秦降王子婴，烧秦宫室，火三月不灭；收其货宝妇女而东。人或说项王曰："关中阻山河四塞，地肥饶，可都以霸。"项王见秦宫室皆以烧残破，又心怀思欲东归，曰："富贵不归故乡，如衣绣夜行，谁知之者！"说者曰："人言楚人沐猴而冠[①]耳，果然。"项王闻之，烹[②]说者。

【注释】

①沐猴而冠：是指沐猴即使戴上帽子，也难以办成人事。

②烹：烹煮。

【译文】

又过了好几天，项羽率军向西挺进，屠戮了整个咸阳城，杀掉了向他投降的秦降王子婴，烧掉了秦朝的宫殿，这场大火一直烧了三个月；并席卷了秦朝所有的财宝和妇女，做完这些，准备向东撤离。当时，有人劝他说："关中地区的四周有高山大河，是天然的屏障，这里的土地肥沃，物产丰富，把都城建在这里可以成就一番霸业。"项羽见秦朝的宫殿已烧成一片废墟，加之他怀念家乡，心欲东归，便说："大富大贵了还不回家乡，就如同穿上锦绣服饰在夜里走路，又有谁能看见呢！"那个规劝项羽的人道："别人说楚国人是猕猴，戴上帽子也终究不是真人，果真如此！"项羽听了这话，就把这个劝说他的人烹死了。

四

【原文】

项王军壁垓下，兵少食尽，汉军及诸侯兵围之数重。夜闻汉军四面皆楚歌，项王乃大惊，曰："汉皆已得楚乎？是何楚人之多也！"项王则夜起，饮帐中。有美人名虞，常幸从；骏马名骓[①]，常骑之。于是项王乃悲歌慷慨，自为诗曰："力拔山兮气盖世，时不利兮骓不逝。骓不逝兮可奈何，虞兮虞兮奈若何！"歌数阕[②]，美人和之。项王泣数行下，左右皆泣，莫能仰视。

【注释】

①骓（zhuī）：指黑白相间的马。

②歌数阕：指歌曲一连唱了好几遍。

【译文】

项羽的军队在垓下安营扎寨，士兵人数越来越少，粮食也快没有了，汉军和诸侯的军队把他们团团包围。深夜里，突然听到四面的汉军都唱着楚歌，项羽大为吃惊地说："难道汉军已全部夺取楚地了吗？为什么他们的军队中有那么多的楚人呢？”项羽就夜间起床，在帐中饮酒。当时，帐中有一个美人名为虞姬，一直跟随在项羽的身边；有一匹骏马名为骓，是项羽出战时所用的坐骑。项羽感慨悲伤地吟唱道：“力能拔山啊，英雄豪气盖世，时运不济呀，骓马不能再奔驰！骓马不能向前奔驰，又能如何。虞姬啊虞姬，我该怎么安排你啊？”项羽一连唱了好几遍，美人虞姬在旁边一同应和。项羽的眼泪一行一行地流下来，左右的侍卫也都跟着落泪，悲痛得不能抬头仰视。

五

【原文】

于是项王乃欲东渡乌江。乌江亭长檥船[①]待，谓项王曰：“江东虽小，地方千里，众数十万人，亦足王也。愿大王急渡。今独臣有船，汉军至，无以渡。”项王笑曰：“天之亡我，我何渡为！且籍与江东子弟八千人渡江而西，今无一人还；纵江东父兄怜而王我，我何面目见之？纵彼不言，籍独不愧于心乎？”乃谓亭长曰：“吾知公长者。吾骑此马五岁，所当无敌，尝一日行千里，不忍杀之，以赐公。”乃令骑皆下马步行，持短兵接战。独籍所杀汉军数百人，项王身亦被十余创。顾见汉骑司马吕马童，曰：“若非吾故人乎？”马童面之，指王翳[②]曰：“此项王也。”项王乃曰：“吾闻汉购我头千金，邑万户，吾为若德。”乃自刎而死。王翳取其头，余骑相蹂践争项王，相杀者数十人。最其后，郎中骑杨喜，骑司马吕马童，郎中吕胜、杨武各得其一体。五人共会其体，皆是。故分其地为五：封吕马童为中水侯，封王翳为杜衍侯，封杨喜为赤泉侯，封杨武为吴防侯，封吕胜为涅阳侯。

【注释】

①檥船：撑船靠岸。

②王翳：是灌婴的部下。

【译文】

这时，项羽前往乌江，准备东渡。乌江亭长驾着一只小船停靠在江边，他对项羽说："江东这个地方虽然不大，却还有数千里的土地，还有几十万的人民，也是可以称王的。请项王上船。现在只有我一个人有船只，即使汉军追到江边，他们也是不能渡江的。"项羽听后，笑着说："既然上天要亡我项羽，我渡江有什么用呢！想当初，我曾带领八千江东子弟渡江西进，现在他们没一个人活着回故乡，纵然是江东父老可怜我，拥护我为王，可我自己早已没颜面去见他们？就算江东父老不说什么，我自己就能安心吗？"随后，他对亭长说："我知道你是个仁厚的长者。这匹马跟随我已有五年了，所向披靡，能够日行千里，我不忍心杀它，就把它送给你吧。"说完，项羽下令让所有将士下马步行，手握短兵与汉军交战。仅项羽一人就斩杀了汉军好几百人，他身上也受了十多处伤。项羽回头时突然看见了汉军的骑司马吕马童，他向对方招呼道："你不是我的故交吗？"吕马童定睛一看，指着项羽回头对王翳说："这就是项王。"项羽说："我听说刘邦许诺以千金和万户的封地来买我的人头，那我就为你们做件好事吧！"说完就自刎了。王翳见此，赶紧飞奔过去割了项羽的头颅，其他士兵纷纷前去抢夺项羽的尸体，在相互拥挤之下，还死了好几十人。最终，由郎中骑杨喜、骑司马吕马童、郎中吕胜、杨武四人分别抢到了项羽的一段肢体。五人把各自手中的残肢拼在一起，把项羽的整个尸体还原了。汉王见到项羽的尸体后，把当初悬赏的万户封赏一分为五，封吕马童为中水侯，王翳为杜衍侯，杨喜为赤泉侯，杨武为吴防侯，吕胜为涅阳侯。

六

【原文】

项王已死，楚地皆降汉，独鲁不下，汉乃引天下兵欲屠之。为其守礼义，为主死节，乃持项王头视鲁①，鲁父兄乃降②。始，楚怀王初封项籍为鲁公，及其死，鲁最后下，故以鲁公礼葬项王穀城。汉王为发哀，泣之而去。

【注释】

①视鲁：让鲁人看。

②降：投降。

【译文】

项羽死后，楚地的将士百姓都相继归降了汉王，唯独鲁地曲阜不肯投降。汉王准备率领全天下的兵力来屠杀鲁地军民，但考虑到鲁地军民对项王的忠心，便派人提着项王的人头给鲁地的军民看，鲁地的军民才向汉王投降。最初，楚怀王曾封项羽为鲁公，在他死后，鲁地曲阜才被攻克，也是这个原因，汉王以鲁公的礼节把项王安葬在了穀城。汉王刘邦亲自为项羽发丧，还为他大哭了一场，然后离开鲁城。

高祖本纪

一

【原文】

高祖，沛丰邑中阳里人，姓刘氏，字季。父曰太公，母曰刘媪。其先刘媪尝息大泽之陂①，梦与神遇。是时雷电晦冥，太公往视，则见蛟龙于其上。已而有身②，遂产高祖。

【注释】

①陂（bēi）：指水边。

②有身：指怀孕。

【译文】

高祖是沛县丰邑中阳人。姓刘，字季。他的父亲名叫太公，母亲名叫刘媪。当年，刘媪在大湖岸边休息，睡梦中与神交合。当时雷电相交，天地昏暗。太公去看刘媪时，只见一条蛟龙缠绕在她身上。后来刘媪怀孕，就生下了高祖。

二

【原文】

高祖常繇咸阳，纵观[①]，观秦皇帝，喟然[②]太息曰："嗟乎，大丈夫当如此也！"

【注释】

①纵观：允许老百姓观看。

②喟然：动心的样子。

【译文】

高祖曾经去咸阳服徭役，（有一次，正好遇到秦始皇出巡）允许百姓们观看，高祖看到秦始皇，感慨万千地说："啊，大丈夫理应是这个样子。"

三

【原文】

高祖以亭长为县送徒[①]郦山，徒多道亡[②]。自度比至皆亡之，到丰西泽中，止饮，夜乃解纵[③]所送徒。曰："公等皆去，吾亦从此逝[④]矣！"徒中壮士愿从者十余人。高祖被酒[⑤]，夜径泽中，令一人行前。行前者还报曰："前有大蛇当径，愿还。"

高祖醉，曰：“壮士行，何畏！”乃前，拔剑击斩蛇。蛇遂分为两，径开。行数里，醉，因卧。后人来至蛇所，有一老妪夜哭。人问何哭，妪曰：“人杀吾子，故哭之。”人曰：“妪子何为见杀[6]？”妪曰：“吾子，白帝子也，化为蛇，当道，今为赤帝子斩之，故哭。”人乃以妪为不诚，欲笞之，妪因忽不见。后人至，高祖觉。后人告高祖，高祖乃心独喜，自负。诸从者日益畏之。

【注释】

①徒：壮丁，民夫。

②道亡：中途逃跑。

③解纵：放走。

④逝：离去。这里指逃亡。

⑤被酒：带着几分酒意。

⑥见杀：被杀。

【译文】

高祖作为亭长去郦山为县里送服徭役的人，许多服徭役的人都在半路逃跑了。高祖估摸着赶到郦山时大家都会逃光，于是在到达丰邑西沼泽地带时，就停下来喝酒，到了夜晚就释放了所押送的人。他说：“大家都逃命去吧，从此我也要远走他乡了！”在众多服徭役的人中，有十多个年轻的壮士愿意跟随高祖。高祖带着酒意，趁天黑直穿沼泽地，他让一个人在前边探路。走在最前边探路的人回来报告说：“前方有一条大蛇挡在路中央，我们还是返回去（走别的路吧）。”

带着醉意的高祖说：“大丈夫行路，怕什么呢！”于是走向前去，拔剑将大蛇斩成了两段，道路畅通了。他继续向前走了几里，醉倒在地，睡着了。后面的人走到斩蛇的地方，见有个老妇人在那里哭泣。有人问她为何事而哭，老妇人说：“有人杀了我的儿子，我在为他哭泣。”有人问道：“你的儿子为什么会被杀呢？”老妇人说：“我儿子是白帝之子，他变成了蛇，挡在路的中间，而今却被赤帝之子杀了，所以我是为这事而哭泣。”众人认为老妇人在说谎，正准备打她时，却看不见老妇人的身影了。这些人再走到高祖身边时，高祖已经醒了。他们把刚才的事告诉了高祖，高祖听后，心中欣喜万分，认为自己不是一般人。而那些跟随他的人也一天比一天地敬畏他了。

四

【原文】

及赵高已杀二世，使人来，欲约分王关中。沛公以为诈，乃用张良计，使郦生、陆贾往说秦将，啖以利①，因袭攻武关，破之。又与秦军战于蓝田南，益张②疑兵旗帜，诸所过毋得掠卤③，秦人憙④，秦军解⑤，因大破之。又战其北，大破之。乘胜，遂破之。

【注释】

①啖（dàn）以利：指用利益、财物去收买一个人。

②张：指悬挂。

③掠卤：指抢掠。

④憙（xǐ）：同“喜”，高兴。

⑤解（xiè）：通“懈”，松懈，懈怠。

【译文】

等到赵高杀害秦二世后，他派人去求见沛公，想与沛公约定在关中划分地盘各自称王。沛公认为其中有诈，就采纳了张良的计策，派遣郦生、陆贾前去游说秦将，以财宝引诱他们，乘机偷袭武关，把秦军打败。又在蓝田县以南与秦军交战，沛公派人暗中增设了疑兵旗帜，巧布疑阵，还命令全军所经之处，不许掳掠，这使得秦地的人们高兴不已，趁秦军在松懈之际，沛公率军大败秦军。紧接着又在蓝田县北交战，大败秦军。沛公带领军队乘胜追击，最终彻底瓦解了秦军。

五

【原文】

项羽遂西，屠烧咸阳秦宫室，所过无不残破[1]。秦人大失望，然恐，不敢不服耳。

项羽使人还报[2]怀王。怀王曰:“如约。”项羽怨怀王不肯令与沛公俱西入关，而北救赵，后天下约。乃曰:“怀王者，吾家项梁所立耳，非有功伐，何以得主约！本定天下，诸将及籍也。”乃详[3]尊怀王为义帝，实不用其命。

【注释】

①残破：损坏。

②报：汇报。

③详：通“佯”，假意、假装。

【译文】

项羽带领军队向西前进，一路大肆屠杀咸阳居民，放火焚烧咸阳宫殿，所过之处，没有不变成废墟的。秦地人对项羽的所作所为大为失望，但因害怕，不得不服从于他。

项羽派遣人回去向怀王报告有关情况。怀王听后，说：“一切都按照先前的约定办。”项羽内心怨恨楚怀王当初不肯让他与沛公一起向西入关，却派他到北边救赵，致使他没能第一时间入关。说道:“怀王是我的叔父项梁所立，没有任何功勋可言。平定天下的是众位将军与我项籍。”于是假意尊崇怀王为义帝，实际上并不听从他的命令。

六

【原文】

八月，汉王用韩信之计，从故道[1]还，袭雍王章邯。邯迎击汉陈仓，雍兵败，还走，止战好畤；又复败，走废丘，汉王遂定雍地。东至咸阳，引兵围雍王废丘，而遣诸将略定陇西、北地、上郡。令将军薛欧、王吸出武关，因王陵兵南阳，以迎太公、吕后于沛。楚闻之，发兵距之阳夏，不得前[2]。

【注释】

①故道：陈仓道，位于今陕西宝鸡东，属于旧时的秦蜀通道。

②前：前进。

【译文】

汉高祖元年（公元前206年）八月，汉王采纳了韩信的建议，带领军队沿着陈仓小道返回了关中，袭击雍王章邯。当时，章邯在陈仓迎击汉军，最终被汉军打败，撤兵逃走，止于好畤时再战，又被打败了，章邯便逃到了废丘。就这样，汉王平定了章邯管辖的雍地，东面的先锋挺进了咸阳，这时汉王又派人包围了章邯的都城废丘，并派人一路向西、北上把陇西、北地、上郡平定了。随后，他派薛欧、王吸带领军队出武关，与王陵的军队在南阳会合，再去迎接父亲太公、妻子吕后。楚王听说这件事后，派人前去阳夏阻挡薛欧、王吸，使汉军不能顺利前进。

七

【原文】

汉王军荥阳南，筑甬道属之河[1]，以取敖仓[2]，与项羽相距岁余。项羽数侵夺汉甬道，汉军乏食，遂围汉王。汉王请和，割荥阳以西者为汉，项王不听。汉王患之，乃用陈平之计，予陈平金四万斤，以间疏楚君臣。于是项羽乃疑亚父。亚父是时劝项羽遂下荥阳，及其见疑[3]，乃怒，辞老，愿赐骸骨[4]归卒伍，未至彭城而死。

【注释】

①属之河：是把荥阳、黄河南岸有序地连接在一起。

②敖仓：秦朝建粮使用的仓名，位于今河南省的荥阳西北。

③见疑：被人怀疑。

④赐骸（hái）骨：指乞身告老。

【译文】

汉王率领的军队在荥阳南面安营扎寨，他们修筑了一条通往黄河的甬道，以便取用敖仓的粮食。汉王与项羽的对峙持续了一年多的时间。项羽曾多次夺取汉王的甬道，使得汉军的粮食无法供应，项羽乘机包围了汉王的军队。汉王在走投无路之际，请求与项羽讲和，前提是让他享有荥阳以西的驻地。项羽没有答应。汉王内心十分忧虑，便采用了陈平的计策，给了陈平四万斤黄金，用于离间项羽与范增之间的君臣关系。很快，项羽就对范增产生疑心。这时范增劝项羽一定要攻下荥阳，他在遭受项羽猜疑后，就很生气，就请求告老还乡。（项羽答应了）范增还没走到彭城就去世了。

八

【原文】

五年，高祖与诸侯兵共击楚军，与项羽决胜垓下。淮阴侯将三十万自当之[1]，孔将军居左。费将军居右，皇帝[2]在后，绛侯、柴将军在皇帝后。项羽之卒可十万。淮阴先合[3]，不利，却。孔将军、费将军纵，楚兵不利，淮阴侯复乘之，大败垓下。项羽卒闻汉军之楚歌，以为汉尽得楚地，项羽乃败而走，是以兵大败。使骑将灌婴追杀项羽东城，斩首八万，遂略定楚地。鲁为楚坚守不下，汉王引诸侯兵北，示鲁父老项羽头，鲁乃降。

【注释】

①当之：与楚人的军队正面对阵。当，正对，面对。

②皇帝：指刘邦。

③合：交战，战斗。

【译文】

汉高祖五年，高祖和各路诸侯的军队一起进攻楚军，在垓下与项羽决一胜负。淮阴侯韩信带领三十万大军与楚军正面对阵，他的将领孔将军居左，费将军居右，汉王在韩信后面，绛侯周勃、将军柴武跟随在汉王之后。项羽的军队约有十万人。韩信先跟项羽正面交锋，失利，向后撤退。孔将军、费将军从左右两侧向前进攻，项羽处于不利局面，韩信乘机再次攻了上去，在垓下大败楚军。项羽的将士在夜间听到汉军唱着楚地歌谣，以为汉军把楚地全部占领了，因此项羽大败逃走，楚军顿时土崩瓦解。汉王派遣骑将灌婴前去追杀项羽，追到东城时，杀了楚军八万人，最终平定了楚地。只有鲁地人还在为项羽坚守，始终不肯降服，于是汉王带领各路大军北上曲阜，把项羽的人头拿给鲁地官民看后，他们才投降了汉王。

吕太后本纪

一

【原文】

吕太后[①]者，高祖微时妃也，生孝惠帝[②]、女鲁元太后。及高祖为汉王，得定陶戚姬，爱幸，生赵隐王如意。孝惠为人仁弱，高祖以为不类我，常欲废太子，立戚姬子如意，如意类我。戚姬幸，常从上之关东，日夜啼泣，欲立其子代太子。吕后年长，常留守，希见上，益疏。如意立为赵王后，几代太子者数矣，赖大臣争之，及留侯策，太子得毋废。

【注释】

①吕太后：吕雉，字娥姁。

②孝惠帝：刘盈。

【译文】

吕后是高祖少时所娶的妻子，婚后，吕后生下了孝惠帝和鲁元太后。等到高祖做汉王以后，又娶了定陶的戚姬为妻，汉王非常宠爱她，生下了赵隐王刘如意。孝惠年少的时候，为人仁慈柔弱，高祖认为，孝惠帝不像自己，因而，总想找机会废掉他的太子之位，改立戚姬的孩子如意，之所以这样打算，是因为如意比较像自己。戚姬深受他的宠爱，经常跟随高祖去关东，随时在他的身边抽噎哭泣，要他立自己的孩子为太子。吕后年老色衰，经常被安排留守家中，极少和高祖在一起，慢慢地就变得越来越疏远了。刘如意被立为赵王后，差一点就取代了太子之位，然而凭借大臣们的极力拥护，以及留侯张良献出的计策，才使得太子没能被废掉。

二

【原文】

吕后为人刚毅，佐高祖定天下，所诛大臣多吕后力。吕后兄二人，皆为将。长兄周吕侯死事，封其子吕台为郦①侯，子产为交侯；次兄吕释之为建成侯。

【注释】

①郦（fū）：通“鄜”。

【译文】

吕后为人果敢、刚毅，辅助高祖刘邦夺取天下，而诛杀朝中有威胁力的大臣，大多是吕后出谋划策取得成功的。吕后有两个哥哥，都被封为了大将军。大哥周吕侯吕泽，为朝廷效力，战死杀场，因此把他的儿子吕台封为郦侯，吕产封为交侯；二哥吕释之封为建成侯。

三

【原文】

高祖十二年四月甲辰，崩长乐宫，太子袭号为帝。是时高祖八子：长男肥[1]，孝惠兄也，异母，肥为齐王；余皆孝惠弟，戚姬子如意为赵王，薄夫人子恒为代王，诸姬子子恢为梁王，子友为淮阳王，子长为淮南王，子建为燕王。高祖弟交为楚王，兄子濞为吴王。非刘氏功臣番君吴芮子臣为长沙王。

【注释】

①肥：刘肥，曹姬之子。

【译文】

汉高祖十二年（公元前195年）四月的一个甲辰日，高祖驾崩于长乐宫，太子刘盈继承帝位。当时，高祖一共八个儿子：长子刘肥，是孝惠帝刘盈的哥哥，他们不是同一个母亲，刘肥是齐王，其他的都是孝惠帝的弟弟，戚姬的儿子刘如意是赵王，薄姬的儿子刘恒是代王，在众多妃嫔的儿子中刘恢是梁王，刘友是淮阳王，刘长是淮南王，刘建是燕王。高祖弟弟刘交是楚王，高祖哥哥的儿子刘濞是吴王。非刘氏子弟功臣番君吴芮之子吴臣被封为长沙王。

四

【原文】

吕后最怨戚夫人及其子赵王，乃令永巷[①]囚戚夫人，而召赵王。使者三反，赵相建平侯周昌谓使者曰：“高帝属臣赵王，赵王年少。窃闻太后怨戚夫人，欲召赵王并诛之，臣不敢遣王。王且亦病，不能奉诏。”吕后大怒，乃使人召赵相。赵相征至长安，乃使人复召赵王。王来，未到。孝惠帝慈仁，知太后怒，自迎赵王霸上，与入宫，自挟与赵王起居饮食。太后欲杀之，不得间。孝惠元年十二月，帝晨出射。赵王少，不能蚤起。太后闻其独居，使人持酖[②]饮之。犁明，孝惠还，赵王已死。于是乃徙淮阳王友为赵王。夏，诏赐郦侯父追谥为令武侯。太后遂断戚夫人手足，去眼，煇耳，饮瘖药，使居厕中，命曰“人彘”。居数日，乃召孝惠帝观人彘。孝惠见，问，乃知其戚夫人，乃大哭，因病，岁余不能起。使人请太后曰：“此非人所为。臣为太后子，终不能治天下。”孝惠以此日饮为淫乐，不听政，故有病也。

【注释】

①永巷：别宫名，有长巷之名，后改为掖庭。

②酖：鸩酒，毒酒。《史记集解》曰：“酖鸟食蝮……饮之立死。”

【译文】

吕后最恨戚夫人与她的孩子赵王刘如意，于是把戚夫人囚禁在永巷，并召赵王进宫。使者前往多次，赵国的丞相建平侯周昌对那个使者说：“高祖把赵王托付给我，赵王还小，听说太后怨恨戚夫人，想召回赵王将他一并杀掉，我不敢安排赵王前去。并且赵王现在又病了，无法接受诏命。”吕后知道这件事情后，非常生气，于是派人去传召周昌进京。周昌到了长安，便派人去传召赵王。赵王赶往京城，但还没有到达。孝惠帝十分仁慈，他知道太后怨恨赵王，便亲自前往霸上迎接赵王，和他一起回宫，与赵王一同吃住，以保护他的安全。太后想杀掉赵王，却找不到时机。孝惠元年十二月的一个早晨，孝惠帝一早外出射箭。赵王还小，没有早起。太后得知赵王没有出行，就叫人拿了毒酒给他喝。天亮后，孝惠帝才回来，赵王早已死了。于是，孝惠帝让淮阳王刘友做了赵王。同年夏天，孝惠帝下诏把郦侯吕台的父亲吕泽封为令武侯。也是这个时候，太后派人把戚夫人的手和脚都砍了，还挖去双眼、用火烧她的耳朵，并给她灌下哑药，将她扔入厕中，称她为“人彘”。几天后，太后叫来孝惠帝一起去看人彘。孝惠帝看后，心存疑问，便问这是谁，得知是戚夫人，于是他大哭了一场，自此以后，便病倒了，一年多也没能好起来。一天，孝惠帝派人告诉太后说：“这种做法太残忍了，根本不是人能做出的事，我身为太后的儿子，终究不能治理好天下。”经过这件事后，孝惠帝每日都饮酒逸乐，不再过问朝政之事，身患疾病。

五

【原文】

太后称制，议欲立诸吕为王，问右丞相王陵。王陵曰：“高帝刑白马盟曰‘非刘氏而王，天下共击之’。今王吕氏，非约也。”太后不说。问左丞相陈平、绛侯周勃。勃等对曰：“高帝定天下，王子弟，今太后称制，王昆弟诸吕，无所不可。”太后喜，罢朝。王陵让陈平、绛侯曰：“始与高帝啑[1]血盟，诸君不在邪？今高帝崩，太后女主，欲王吕氏，诸君从欲阿意背约，何面目见高帝地下？”陈平、绛侯曰：“于今面折廷争，臣不如君；夫全社稷，定刘氏之后，君亦不如臣。”王陵无以应之。

十一月，太后欲废王陵，乃拜为帝太傅②，夺之相权。王陵遂病免归。乃以左丞相平为右丞相，以辟阳侯审食其为左丞相。左丞相不治事，令监宫中，如郎中令。食其故得幸太后，常用事，公卿皆因而决事。乃追尊郦侯父为悼武王，欲以王诸吕为渐。

【注释】

①啑（shà）：唽。

②太傅：古官名。没有实权，是皇帝的老师。

【译文】

太后把持朝政，召集朝中大臣商议政事想要立诸吕为王。她问右丞相王陵的看法。王陵说："高帝曾经杀白马盟誓，'不是刘氏子弟而封王的，天下的人要一起消灭他'。现在封吕氏为王，是违背当时的盟约。"太后听后，心里不高兴。又问左丞相陈平和绛侯周勃等人。周勃等人回答说："高帝取得天下，把刘氏子弟封为王；现在太后掌权，把吕氏子弟封王，没什么不可以的。"太后听了，心里十分高兴，下令退朝。王陵对陈平、周勃说："当初，与高帝一起歃血盟誓时，你们两人是不是也在场？现在高帝去世了，太后执掌朝政，准备封王吕氏子弟，你们竟然迎合她的心意，而违背与高帝立下的誓约，百年之后，你有何脸面到九泉之下见高帝呢？"陈平、周勃说："现在，在朝堂之上当面反驳，我们无法与您相比；而保全大汉的江山，安定好刘氏后代的君王地位，您是无法与我们相比的。"王陵听后，无话可说。同年的十一月，太后罢免王陵，任命他为太傅，把他右丞相的实权架空。王陵便称病告老还乡了。随后，吕后封左丞相陈平为右丞相，封辟阳侯审食其为左丞相。左丞相审食其无须处理政务，只须监督宫中的事务，与他担任郎中令时没什么不同。审食其深得太后宠信，经常可以参与决断朝中大事，朝中大臣处理的要事都要经他来做最后拍板。接着，吕后追封尊郦侯吕台的父亲吕泽为悼武王，想以此作为封诸吕为王的开端。

六

【原文】

太后欲王吕氏，先立孝惠后宫子彊为淮阳[1]王，子不疑为常山[2]王，子山为襄城[3]侯，子朝为轵侯，子武为壶关侯。太后风大臣，大臣请立郦侯吕台为吕王，太后许之。建成康侯释之卒，嗣子有罪，废，立其弟吕禄为胡陵侯，续康侯后。二年，常山王薨，以其弟襄城侯山为常山王，更名义。十一月，吕王台薨，谥为肃王，太子嘉代立为王。三年，无事。四年，封吕媭为临光侯，吕他为俞侯，吕更始为赘其侯，吕忿为吕城侯，及诸侯丞相五人。

【注释】

①淮阳：陈留郡。

②常山：常山故城在恒州真定县南八里，本汉东垣邑也。

③襄城：属颍川一带。

【译文】

太后想封吕氏为王，（可又不能直接封，于是）她先封孝惠帝后宫所生的儿子刘彊为淮阳王，刘不疑为常山王，刘山为襄城侯，刘朝为轵侯，刘武为壶关侯。太后以微言示意朝中的大臣们，大臣们心领神会，纷纷请求封郦侯吕台为吕王，太后应允了。建成康侯吕释之死后，继承爵位的长子因有罪被废掉了，便封他的弟弟吕禄为胡陵侯，以继承建成康侯的爵位。二年，常山王刘不疑去世，太后就让他的弟弟襄城侯刘山做了常山王，改名为刘义。十一月，被封为吕王的吕台去世，追谥为肃王，吕嘉继承爵位为王。三年，没发生什么大事。四年，吕后封妹妹吕媭为临光侯，把吕他封为俞侯，把吕更始封为赘其侯，把吕忿封为吕城侯，把诸侯丞相等五人也封为侯。

七

【原文】

七月中，高后病甚，乃令赵王吕禄为上将军，军北军；吕王产居南军。吕太后诫产、禄曰："高帝已定天下，与大臣约曰'非刘氏王者，天下共击之。'今吕氏王，大臣弗平①。我即崩，帝年少，大臣恐为变。必据兵卫宫，慎毋送丧，毋为人所制。"辛巳，高后崩，遗诏赐诸侯王②各千金，将相列侯郎吏皆以秩赐金。大赦天下。以吕王产为相国，以吕禄女为帝后。

【注释】

①弗平：不平衡。

②诸侯王：封有侯爵者，为诸侯。皇子被封为王者，称为诸侯王。

【译文】

高后八年七月中旬，吕后的病情恶化，就把赵王吕禄封为上将军，统率北军；让吕王吕产统率南军。在吕后弥留之际，她告诫吕禄、吕产说："高帝统一天下后，曾与大臣们盟约说：'不是刘氏子弟却封王的，天下的人要一同消灭他。'现在吕家人都封王了，大臣们心里不平衡。我快要死了，皇帝还小，朝中的大臣恐怕要作乱。你们一定要掌握好兵权，守护好皇宫，千万不能为我送丧，也不要被人抓住把柄。"辛巳日，吕后病逝，留下了遗诏赏赐诸侯王每人黄金千斤。将、相、列侯、郎和吏等依据官职大小赏赐黄金。大赦天下。让吕王吕产担任相国，把吕禄之女册立为皇后。

八

【原文】

高后已葬[1]，以左丞相审食其为帝太傅。

【注释】

①高后已葬：高帝、吕后合葬于长陵。

【译文】

吕后下葬后，左丞相审食其做了皇帝的太傅。

礼　书

一

【原文】

太史公曰：洋洋[1]美德乎！宰制万物，役使群众，岂人力也哉？余至大行礼官，观三代损益[2]，乃知缘人情而制礼，依人性而作仪，其所由来尚矣。

【注释】

①洋洋：博大的样子。

②损益：演变。

【译文】

太史公说："博大的品格啊！主宰着万物、驱策着群品，岂是一个人的力量能够完成的？我曾经去过大行礼官那里，研究夏、商、周三个朝代的礼制演变，经过研究才知道，依照人情来制定礼，依照人性来制定仪，是由来已久的事情。

二

【原文】

人道经纬万端，规矩无所不贯[1]，诱进以仁义，束缚以刑罚，故德厚者位尊，禄重者宠荣，所以总一海内而整齐万民也。人体安驾乘，为之金舆错衡以繁其饰；目好五色，为之黼黻文章以表其能；耳乐钟磬，为之调谐八音以荡其心；口甘五味，为之庶羞酸咸以致其美；情好珍善，为之琢磨圭璧以通其意。故大路越席，皮弁布裳，朱弦洞越，大羹玄酒，所以防其淫侈，救其凋敝。是以君臣朝廷尊卑贵贱之序，下及黎庶车舆衣服宫室饮食嫁娶丧祭之分[2]，事有宜适，物有节文[3]。仲尼曰：“禘自既灌而往者，吾不欲观之矣。”

【注释】

①贯：贯穿。

②分：等级。

③节文：节制。

【译文】

做人的规矩，千变万化，但总的来说，有一条基本准则，就是要教导人们知晓仁义，并用刑罚予以约束，所以，德行好的人，地位就显达尊贵；俸禄多的人，能享受到诸多的荣耀与恩宠，用这样的方法来统一天下人，就会使人心整齐。身体乘坐车马就会感到舒适，就用金来装饰车，并雕镂车衡，镶金错银，配上复杂的装饰；人的眼睛喜欢看五彩多姿的美色，可以顺乎其意，给礼服设计华美的花纹，使人的外表看起来更加美好；人的耳朵喜欢钟磬发出的动听声音，就调谐各种乐器以获得激荡人心的效果；人们喜欢食用美味可口的食物，就烹调出佳肴异馔，有酸的、有咸的，以满足每个人对美食的享受；根据人情所喜爱的珍贵善美之物，用美玉制成圭璧，加以雕琢，以达到顺乎人意的效果。人们制造了许多大路越席、华美的衣裳、朱弦洞越和大羹玄酒等，就是为了起到预防奢侈、浪费，挽救衰败的目的。所以，在论及君臣等朝中的尊卑贵贱秩序，或是普通老百姓衣食住行、婚丧嫁娶的等级制度时，每一件事都应该适度，做到物物文饰有所节制。孔子说："禘祭自灌以后，次序就出现了颠倒现象，所以我不愿再来去观看了。"

三

【原文】

周衰，礼废乐坏，大小相逾，管仲之家，兼备三归①。循法守正者见侮于世，奢溢僭②差者谓之显荣。

自子夏，门人之高弟也，犹云"出见纷华盛丽而说，入闻夫子之道而乐，二者心战，未能自决"，而况中庸以下，渐渍于失教，被服于成俗乎？孔子曰"必也正名"，于卫所居不合。仲尼没后，受业之徒沈湮而不举，或适齐、楚，或入③河、海，岂不痛哉！

【注释】

①三归：三姓妇女。

②僭：逾制。

③入：遁入。

【译文】

周朝的王室逐渐衰微后，礼仪制度也废弃了，乐制也相应地受到破坏，不管是大的事情，还是小的事情都不按照等级实行了，甚至在管仲家出现了娶三姓妇女为妻的现象。而那些遵纪守法、重视正道的人却受到侮辱，那些奢侈、浪费，不按制度做事的人却名显身荣。

这样的事，连孔门高徒子夏都曾说"出门见到纷繁华丽的事物而感到欢喜，回来聆听孔夫子的学说而欢喜，这两者经常在内心深处斗争，难以取舍"。何况那些资质中等以下、长时间处在没有教导的习俗与环境中的人呢？孔子在论述卫国的政治说“论政，必定先正其名分”，但正名分这样的事情，在卫国是无法做到的。孔子去世，他的门人几乎全都沉沦四散，有的门人去了齐国、楚国，有的门人遁入河北、海内。出现这样的事情，难道不令人痛惜吗？

四

【原文】

至秦有天下，悉内[1]六国礼仪，采择其善，虽不合圣制，其尊君抑臣，朝廷济济，依古以来。至于高祖，光有四海，叔孙通颇有所增益减损，大抵皆袭秦故。自天子称号下至佐僚及宫室官名，少所变改。孝文即位，有司议欲定仪礼，孝文好道家之学，以为繁礼饰貌，无益于治，躬化谓何耳，故罢去之。孝景时，御史大夫晁错明于世务刑名，数干谏孝景曰：“诸侯藩辅，臣子一例，古今之制也。今大国专治异政，不禀京师，恐不可传后。”孝景用其计，而六国畔逆[2]，以错首名，天子诛错以解难。事在袁盎语[3]中。是后官者养交安禄而已，莫敢复议。

【注释】

①悉内：收罗。

②畔逆：叛乱。

③袁盎语：指记载在《袁盎列传》中。

【译文】

至秦王朝一统天下，全部收罗韩、赵、魏、楚、燕、齐六国的礼仪制度以后，选择其中好的礼仪制度使用，虽然与先圣、先贤留下来的制度有所出入，但也是在尊君抑臣的基础上，来匡正朝廷威仪的，与先辈相同。至汉高祖刘邦一统天下，儒生叔孙通增减秦制，制定了汉朝的礼仪制度，大体上都沿袭秦制。上至天子的称号，下到官员僚佐，或是宫殿、官名，都较少有变动。孝文帝即位后，朝廷有关部门提议重新修订礼仪制度，当时孝文帝热衷于道家学说，认为烦琐的礼节仅有粉饰外表的功能，不利于用来治理天下的百姓，因而没有采纳。到了孝景帝时代，御史大夫晁错明悉世务，通晓刑名学说，多次建议孝景帝说："诸侯是皇帝的得力助手，主要用于辅佐皇帝，与臣子相同，从古至今，这个道理都是这样的。现在，却是各个诸侯国来治理他们的属地，与朝廷的政令有诸多不同，各诸侯国的事务又不向朝廷禀报，这样的事情是不可以继续下去的，会流毒后世。"孝景帝认为晁错说得有理，就采纳了他的计策，下令削弱各个诸侯的势力，最终导致六国叛乱，六国以诛晁错为借口。天子只好诛杀晁错，来解救当时的危难局面。这件事情记载于《袁盎列传》中。从这以后，那些为官的大臣，都只致力于结交诸侯，安享个人的俸禄，没有人敢再去提议削弱诸侯势力的事情。

五

【原文】

礼由人起。人生有欲，欲而不得则不能无忿，忿而无度量则争，争则乱。先王恶其乱，故制礼义以养人之欲[①]，给人之求，使欲不穷于物，物不屈于欲，二者相待而长，是礼之所起也。故礼者养也。稻粱五味，所以养口也；椒兰芬茝，所以养鼻也；钟鼓管弦，所以养耳也；刻镂文章[②]，所以养目也；疏房床笫几席，所以养体[③]也。故礼者养也。

【注释】

①欲：欲望。

②刻镂文章：雕刻花纹。

③养体：养人身体。

【译文】

礼是由人制定的，人生而有欲望，一个人的欲望没有得到满足，则不可能不产生怨愤，如果产生怨愤且不停止就会出现争斗，有了争斗就会引发祸乱。古代的那些帝王都厌恶祸乱，才制定了礼仪用于滋养人的欲望，以达到满足人的需求的目的，使欲望不致因物不足而受抑制，物不致因欲望太多而枯竭，物、欲两者共同成长，这样的话，礼就在无形中产生了。所以，这里的礼说的就是养。稻粱五味能起到养人之口的效果；那些椒兰、芬芳的芷草，可以起到养人之鼻的效果；钟、鼓与不同种类的管弦乐器，其音声能够达到养人之耳的功效；雕刻花纹，能够起到养人之目的效果；宽敞明亮的房屋和床笫几席，能够起到养人身体的效果。所以说礼就是养的意思。

六

【原文】

凡礼始乎脱，成乎文[1]，终乎税。故至备，情文俱尽；其次，情文代胜；其下，复情以归太一。天地以合，日月以明，四时以序，星辰以行，江河以流，万物以昌，好恶以节[2]，喜怒以当。以为下则顺，以为上则明。

【注释】

①文：文饰。

②节：节制。

【译文】

几乎所有礼仪，都是始于简略疏脱，完成当中有文雅仪式，最终人情和悦。因而，达到完备至极的礼仪，是情文并茂的；略次一等的礼仪是文胜于情，或是情胜于文，两者之中占据其中的一项；最下等的礼仪，是违背人的情感的，回复到太一的原始境地。完好的礼仪，能够使天与地之间和谐圆满，日月都会显得特别明亮，四时在运行上很有秩序，星辰运行，江河流动，万物生长茂盛，好与坏都会有所节制，喜与怒都是合理的，没有不适当的。处在下位的人顺从，处于上位的人贤明。

七

【原文】

太史公曰：至矣哉！立隆[①]以为极，而天下莫之能益损也。本末相顺，终始相应，至文有以辨，至察有以说。天下从之者治[②]，不从者乱；从之者安，不从者危。小人不能则也。

【注释】

①隆：隆盛。

②治：治理。

【译文】

太史公说：真是太好、太完美了！在这样的情况下，就应该树立起隆盛完善的礼仪作为人道的最高标准，天下无人能有所增损。礼仪的情感与文采应该相符，头与尾要起到呼应的作用，有文采却不繁缛，显得有节制，有明察秋毫之意，却不苛细，能带给人身心悦服的感觉。天下的人都来遵从礼仪，那么天下就能获得很好的治理，否则的话，就有可能产生祸乱；遵守礼仪的人，可以获得安定，不遵守礼仪的人，就会出现危亡的现象。平民百姓仅依靠自身是不能做到守礼的。

乐　书

一

【原文】

太史公曰：余每读《虞书》，至于君臣相敕，维是几安，而股肱[①]不良，万事堕坏，未尝不流涕也。成王作《颂》，推己惩艾，悲彼家难，可不谓战战恐惧，善守善终哉？君子不为约则修德，满则弃礼，佚能思初，安能惟始，沐浴膏泽[②]而歌咏勤苦，非大德谁能如斯！《传》曰“治定功成，礼乐乃兴”。海内人道益深，其德益至，所乐者益异。满而不损则溢，盈而不持则倾。凡作乐者，所以节乐。君子以谦退为礼，以损减为乐，乐其如此也。以为州异国殊，情习不同，故博采风俗，协比声律，以补短移化，助流政教。天子躬于明堂[③]临观，而万民咸荡涤邪秽[④]，斟酌饱满，以饰厥性。故云《雅》《颂》之音理而民正，噭噭[⑤]之声兴而士奋，郑、卫之曲动而心淫。及其调和谐合，鸟兽尽感，而况怀五常，含好恶，自然之势也？

【注释】

①股肱：指辅佐之臣。股，大腿。肱，手臂从肘到腕的部分。

②膏泽：指恩德。

③明堂：古代帝王所建的最隆重的建筑物，用作朝会诸侯、发布政令、秋季大享祭天，并配祀祖宗。

④荡涤邪秽：清除邪恶与污秽。荡涤，指清洗，洗除。

⑤噭噭（jiào jiào）：高亢激昂。

【译文】

太史公说：每当我阅读《虞书》的时候，只要读到君臣之间会相互进行劝诫，对天下安危进行思考，而由于那些股肱大臣的失职，导致所有事情都处于荒废败坏的状态，没有哪一次是不流泪的。周成王在创作《周颂·小毖》诗篇的时候，就反思自己的过错，并以此作为借鉴，怎么可以说他不是小心谨慎，诚惶诚恐，善于治国呢？君子不会等到自己穷困的时候才想到去修养德行，志得意满就抛却礼义，在身处安乐的环境下能够看到先前受到的苦难，安全的时候能够考虑到未来的危险，在恩德的滋养下能够对劳苦进行歌咏，如果不具备崇高的道德，怎么会有这样的表现呢！《书传》中说“政治安定，大功告成，礼乐之事才会兴起”。如果仁义的道义能够在天下深入，人们都拥有高尚的道德修养，那么人们所追求的娱乐也就会各不相同。盈满而不亏损就会向外溢出，满溢而不扶持就会倾倒。大凡作乐就是为了节制欢乐。君子以谦退有礼，以自损自减为乐，乐的作用就在于此啊。由于地域不同，民俗也有很大的差异，因此要博采风俗，与声律谐调，以此优化治道，移风易俗，帮助推行政教。天子亲自到明堂去观乐，百姓们都能受到乐的感化而荡除本性中的邪恶和污秽，用健康、饱满的人性来整饬自己的性情。所以说修习《雅》《颂》之音，则民风正直，激烈呼号的音声使士心振奋，郑、卫的歌曲使人心生邪念。等到乐与情性谐调，鸟兽都会受到感动，何况怀有五常之性、含好恶之心的人呢？受到乐的感染是自然之势了。

二

【原文】

秦二世尤以为娱。丞相李斯①进谏曰：“放弃《诗》

《书》，极意[②]声色，祖伊[③]所以惧也；轻积细过，恣心长夜，纣所以亡也。”赵高曰：“五帝、三王乐各殊名，示不相袭。上自朝廷，下至人民，得以接欢喜，合殷勤。非此和说不通，解泽[④]不流，亦各一世之化，度时之乐，何必华山之騄耳[⑤]而后行远乎？”二世然之。

【注释】

①李斯：字通古，秦代著名的政治家、文学家和书法家。

②极意：恣意。

③祖伊：商纣王臣，祖己后裔。周文王蓄谋灭商，诸侯多叛纣归周，他见商朝将亡，力谏纣王改变残暴统治，纣不听，终致殷亡。

④解泽：布施恩泽。

⑤騄耳：良马名。亦作“騄駬”。周穆王八骏之一。

【译文】

秦二世喜欢通过声色来娱乐。丞相李斯就针对这件事情对秦二世进行劝谏，说：“放弃《诗》《书》中所倡导的道义，却纵情音声和女色当中，这是殷代贤臣祖伊担心害怕的根源；轻视那些微小过失的积累，却恣意于整夜的欢乐，这是殷纣王灭亡的原因。”赵高说：“五帝、三王时期乐曲各不相同，表示他们彼此都没有借鉴研习，上自朝廷，下至百姓，全都可以一同欢喜，一同辛勤地劳作，这并不是因为音乐和欢乐不能相通，恩泽没有办法同步，同样是一世的教化，每个时代有每个时代的音乐。难道就只有出现在华山的騄耳马才能够远行吗？”秦二世觉得赵高的话说得很有理。

三

【原文】

高祖过沛诗《三侯之章》，令小儿歌之。高祖崩[①]，令沛得以四时歌舞宗庙[②]。孝惠、孝文、孝景无所增更，于乐府习常肄旧③而已。

【注释】

①崩：君主时代称帝王死为崩。

②宗庙：供奉历朝历代国王牌位、举行祭祀的地方。

③肄（yì）旧：沿袭旧有的。

【译文】

高祖在经过沛县时写了一首名为《三侯之章》的诗，完成后，高祖就让当地的孩童歌唱。高祖去世后，就下令让沛县采用四时的歌舞作为宗庙祭祀的乐曲。孝惠帝、孝文帝、孝景帝对这些都没有进行增补和修改，只不过是在乐府中对这些旧的乐曲进行练习而已。

四

【原文】

汉家常以正月上辛祠太一①甘泉，以昏时夜祠，到明而终。常有流星经于祠坛②上。使僮男僮女③七十人俱歌。春歌《青阳》，夏歌《朱明》，秋歌《西暤》，冬歌《玄冥》。世多有，故不论。

【注释】

①太一：即太一神，汉族民间尊奉的神仙。

②祠坛：祭场。

③僮男僮女：童男童女，指未婚的男孩与女孩。

【译文】

汉朝在祭祀太一神的时候，通常都选择正月上旬的日子在甘泉开展，这个祭祀活动一般从黄昏的时候开始夜祭，等到东方明亮之时才会结束。祭祀期间，经常会看见流星从祭坛的上空划过，遇到这种情况，就会让七十个童男和童女一起唱歌。他们在春天唱《青阳》，夏天唱《朱明》，秋天唱

《西皞》，冬天唱《玄冥》。这些歌曲现在流传广泛，这里就不多说了。

五

【原文】

凡音者，生人心者也。情动于中，故形于声，声成文谓之音。是故治世之音安以乐，其正和；乱世之音怨以怒，其正乖；亡国之音哀以思，其民困。声音之道，与正通矣。宫为君，商为臣，角为民，徵为事，羽为物。五者不乱，则无惉懘[①]之音矣。宫乱则荒，其君骄；商乱则捶，其臣坏；角乱则忧，其民怨；徵乱则哀，其事勤；羽乱则危，其财匮。五者皆乱，迭相陵[②]，谓之慢。如此则国之灭亡无日矣。郑卫之音，乱世之音也，比于慢矣。桑间濮上[③]之音，亡国之音也，其政散，其民流，诬上行私而不可止。

【注释】

①惉懘（zhān chì）：声音不和谐，烦乱不安。

②相陵：亦作“相凌”。谓相互侵扰。

③濮上：春秋时卫地，青年男女常歌舞幽会于其地。用以指靡靡之音。

【译文】

凡声音，都是在人心中产生的。一开口，人的情感就能从声上表现出来，如果把这些断断续续的声组合起来，使之成为有结构的整体，就成了音。所以天下安定时的音乐就会充满安逸和欢乐，其政治和平；处于乱世的时候，音乐中就会弥漫怨恨和愤怒，政治必是倒行逆施；处于灭亡，或是灭亡边缘的国家，它们的音乐都是哀愁的，百姓困苦没有任何希望。这样的道理，在声音和政治上是相通的。在五声中，宫为君，商为臣，角为民，徵为事，羽为物。只要保持君、臣、民、事、物这五个的秩序不混乱，就不会出现不协调的声音。宫声混乱，那么五声也就全都废弃了，君王必骄奢淫逸，并且政治腐败；商声混乱，就会造成五声跳掷，出现不协调的情况，官员定会不理政务；角声混乱，那么五音谱写成的乐曲就会形成忧愁的基调，百姓心中必定有很多的积怨；徵音混乱，那么谱写成的曲子大多比较哀伤，国家定会多事；羽声混乱，那么谱成的乐曲大多倾危难唱，国家的财政必定匮乏。如果五声全都不正确，那么就属于迭相侵凌，称为慢。这样的话，距离国家灭亡也就不远了。郑国和卫国的音声，就属于乱世的音声，可以和慢音进行比较；桑间濮上的音声，属于亡国的声音，国家的政治混乱，百姓流离失所，臣子作乱，身处下位的人不尊重身处上位的人，公法废弃，私情流行却没有办法纠正。

六

【原文】

凡音者，生于人心者也；乐者，通于伦理者也。是故知声而不知音者，禽兽是也；知音而不知乐者，众庶是也。唯君子为能知乐。是故[1]审声以知音，审音以知乐，审乐以知政，而治道备矣。是故不知声者不可与言音，不知音者不可与言乐。知乐则几于礼矣。礼乐皆得，谓之有德。德者得也。是故乐之隆，非极音也；食飨[2]之礼，非极味也。清庙[3]之瑟，朱弦而疏越[4]，一倡而三叹，有遗音者矣。大飨之礼，尚玄酒而俎腥鱼，大羹不和[5]，有遗味者矣。是故先王之制礼乐也，非以极口腹耳目之欲也，将以教民平好恶而反人道之正也。

【注释】

①是故：因此，所以。

②食飨：以酒食宴请宾客或祭祀宗庙。

③清庙：指古帝王祭祀祖先的乐章。

④朱弦而疏越：朱弦疏越，形容诗文质朴而有余意。朱弦，用练丝制作的琴弦。

⑤不和：指五味不调和。

【译文】

凡音，是在人心中产生的；乐，是与伦理相通的。所以只知声而不知音的，是禽兽；知音而不知乐的，是普通百姓。只有君子才懂得乐。所以详细审察声以了解音，审察音以了解乐，审察乐以了解政治情况，治理天下的方法也就具备了。因此不懂得声的，不足以与他谈论音；不懂得音的，不足以与他谈论乐，懂得乐就近于明礼了。礼乐的精义都能得之于心，称为有德，德就是得的意思。所以说大乐的隆盛，不在于极尽音声的规模；宴享礼的隆盛，不在于肴馔的丰盛。周庙太乐中用的瑟，外表是朱红色弦，下面有两个通气孔，毫不起眼；演奏时一人唱、三人和，形式单调简单，然而在乐声之外寓意无穷。大飨的礼仪中崇尚玄酒，以生鱼为俎实，大羹用味道单一的咸肉汤，不具五味，然而，在实际的滋味之外另有滋味。所以说先王制定礼乐的目的，不是为了满足口腹耳目的嗜欲，而是要以此教化百姓，使之有正确的好恶之心，从而归于人道的正路上来。

七

【原文】

乐者为同，礼者为异。同则相亲，异则相敬。乐胜则流，礼胜则离。合情①饰貌②者，礼乐之事也。礼义立，则贵贱等矣；乐文同，则上下和矣；好恶著，则贤不肖别矣；刑禁暴，爵举贤，则政均矣。仁以爱之，义以正之，如此则民治行矣。

【注释】

①合情：和谐情感。

②饰貌：仪表。

【译文】

求同是乐的特性，求异则是礼的特征。求同能够让人们彼此之间相亲相爱，求异则让人们彼此尊重。乐事太过却不知道进行节制，就会混乱人与人之间的尊卑界限，让尊卑流移不定；礼事过于频繁却不进行节制，就会让人与人之间离心离德。符合人情，就会更加相亲相爱，整饬行为、外貌，就会尊卑有序，这就是礼乐的作用和功效。礼义立，才能够实现礼的精义，贵贱有序；乐文同，那么上下就会一片和睦，没有争斗；人与人之间有明显的好恶区分，自然就会将贤与不贤区分开来；通过刑罚来禁止暴力的发生，通过授予官爵来推举贤能，这样，政事就会均匀。用仁心爱人，用义心来纠正过错，天下自然就会得到大治了。

八

【原文】

乐由中出，礼自外作。乐由中出，故静；礼自外作，故文。大乐必易，大礼必简。乐至则无怨，礼至则不争。揖让[①]而治天下者，礼乐之谓也。暴民不作，诸侯宾服[②]，兵革[③]不试，五刑[④]不用，百姓无患，天子不怒，如此则乐达矣。合父子之亲，明长幼之序，以敬四海之内。天子如此，则礼行矣。

【注释】

①揖让：指古代宾主相见的礼节。揖让之礼按尊卑分为三种，称为三揖，一为土揖，二为时揖，三为天揖。

②宾服：服从，佩服。

③兵革：兵器和甲胄的总称。泛指武器军备。

④五刑：为笞、杖、徒、流、死。

【译文】

乐产生于人们的心中，而礼则是从外部加在人身上的。因为乐从心中产生，所以具备了静的特征；礼是外加在人们身上的，所以礼的特征就是注重形式和外表。所以那些大乐的曲调、器具必定是非常简单的，大礼也必定是非常俭朴的。乐事做好了，人们的心中就没有怨恨；礼事做好了，那么人们就没有什么可以争夺的了。所谓的礼节治天下，就是说通过礼乐来对天下进行治理。暴乱的人不会奋起作乱，诸侯对天子毕恭毕敬，不动用甲兵，不乱用刑罚，百姓没有担心忧患的事情，天子没有怨怒，这样就做到了乐事发达。调和父子亲情，申明长幼次序，四海之内彼此相互敬重。如果天子能够做到这些，那么也可以说他做到礼事通行了。

九

【原文】

乐者，天地之和也；礼者，天地之序也。和，故百物皆化；序，故群物皆别。乐由天作，礼以地制。过制[①]则乱，过作则暴。明于天地，然后能兴礼乐也。论伦无患，乐之情也；欣喜欢爱，乐之官也。中正无邪[②]，礼之质也；庄敬恭顺，礼之制也。若夫礼乐之施于金石，越于声音，用于宗庙社稷，事于山川鬼神，则此所以与民同也。

【注释】

①过制：超过法度。

②中正无邪：正直而没有邪念。中正，正直。

【译文】

乐象征天地和谐；礼象征天地有序。只有和谐才能化育生长；只有秩序，才会让各种群物有所区分。乐是按照天形成的，礼则是对地进行模仿而制成的。如果超过法度，那么就会因为贵贱不分而出现祸乱，所做之事太过，那么就会因为天地不合而出现暴乱的现象。如果明白了天地之间的这种关系，那么就可以进行礼乐的制作。言与实不相违背，是乐的主旨；欣然接受欢娱，这就是乐的形迹。而礼的实质就是中正无邪，礼的形制则是庄严顺从。至于将礼乐添加在金石之上，并为它配上乐曲，用在祭祀宗庙社稷的活动，以及形成山川鬼神，不管天子还是百姓都是一样的。

律书

一

【原文】

王者制事立法[①]，物度轨则，壹禀于六律[②]，六律为万事根本焉。

其于兵械尤所重，故云“望敌知吉凶，闻声效胜负”，百王不易之道也。

武王伐纣，吹律听声，推孟春以至于季冬，杀气相并，而音尚宫。同声相从，物之自然，何足怪哉？

【注释】

①法：法度。

②六律：吏律、户律、礼律、兵律、刑律、工律。

【译文】

帝王制事立法，确定事物的法度和规则，一切依照六律，六律是万事的根本。

六律对于战事尤其重要，所以有人说“看到敌方上空的云阵就知道出师的吉凶，听到两军发出的音律就能判断出胜负”，这是千秋百代都不会改变的法则。

武王伐纣前，吹律听声，从孟春一直到季冬的音律，都与杀气一起涌出，而音又像宫音。相同的音声一起出现，事物的出现自有其道理，有什么奇怪的呢？

二

【原文】

兵者，圣人所以讨强暴[1]，平乱世，夷险阻，救危殆。自含齿戴角之兽见犯则校，而况于人怀好恶喜怒之气？喜则爱心生，怒则毒螫加，情性之理[2]也。

昔黄帝有涿鹿之战，以定火灾；颛顼有共工之陈，以平水害；成汤有南巢之伐，以殄夏乱。递兴递废，胜者用事，所受于天也。

【注释】

①暴：暴乱。

②理：道理。

【译文】

发动战争，是圣人讨伐暴乱，平定乱世，解除险阻，挽救危局的手段。有口有角的兽类遇到外物侵犯都要用角反抗，何况是怀有好恶喜怒的人呢？欢喜就会心生爱意，愤怒就会有毒螫相伴，这是人性。

从前黄帝发起涿鹿之战，用来平定炎帝一族造成的灾害；颛顼也和共工氏交战，用来平定水族造成的灾害；成汤在南巢伐桀，以歼灭夏朝的祸乱。一代兴盛，一代灭亡，胜利者统治天下，那是天意的安排。

三

【原文】

自是之后，名士迭兴[①]，晋用咎犯，而齐用王子，吴用孙武，申明军约，赏罚必信，卒伯诸侯，兼列邦土，虽不及三代之诰誓，然身宠君尊，当世显扬，可不谓荣焉？岂与世儒暗于大较，不权轻重，猥云德化，不当用兵，大至君辱失守，小乃侵犯削弱，遂执不移等哉！故教笞不可废于家，刑罚不可捐于国，诛伐不可偃于天下，用之有巧拙，行之有逆[②]顺耳。

【注释】

①兴：产生。

②逆：不顺从。

【译文】

从此以后，名士接连产生，晋国重用咎犯，而齐国重用王子成父，吴国重用孙武，都重视军规，赏罚分明，终称霸于诸侯，兼并国土，虽然比不上先辈受诰封赏的荣耀，然而同样是自身荣宠，当世闻名，怎么能说不是荣耀呢？怎么能与那些不明大势的人一样，不知轻重，只知道德，不会用兵，重者自己受辱，国土失守，轻者被人侵犯，所以坚决不能和固执的世儒一样！所以在家中不能没有教育与责打，国家不能不执行刑罚，诛杀和征伐不可绝迹于天下，只不过使用起来有好坏之分，实行起来有顺从和不顺从罢了。

四

【原文】

夏桀、殷纣手搏[1]豺狼，足追四马，勇非微也；百战克胜，诸侯慑服[2]，权非轻也。秦二世宿军无用之地，连兵于边陲，力非弱也；结怨匈奴，絓祸于越，势非寡也。及其威尽势极，闾巷之人为敌国，咎生穷武之不知足，甘得之心不息也。

【注释】

①手搏：赤手空拳搏斗。

②慑服：恐惧，服从。

【译文】

夏桀、殷纣能赤手空拳搏杀豺狼，奔跑时能赶上四匹马拉的车子，勇力并不小；他们都曾百战百胜，致使诸侯因恐惧而服从他们，权力也算不小。秦二世屯军于四方，兵力一直部署到边关，军力也不弱小；汉朝北方与匈奴结怨，南方与诸越又起祸端，势力不算寡弱，等到他们的威风使尽，势力低迷时，闾巷里的平民也成了敌国。错就在于他们穷兵黩武不知足，贪得之心不能停息。

五

【原文】

高祖有天下，三边外畔；大国之王虽称蕃辅，臣节未尽。会高祖厌苦军事，亦有萧、张之谋，故偃武一休息，羁縻不备[1]。

历至孝文即位，将军陈武等议曰："南越、朝鲜自全秦时内属为臣子，后且拥兵阻厄，选蠕观望。高祖时天下新定，人民小安，未可复兴兵。今陛下仁惠抚百姓，恩泽加海内，宜及士民乐用，征讨逆党，以一封疆。"孝文曰：

"朕能任衣冠，念不到此。会吕氏之乱，功臣宗室共不羞耻，误居正位，常战战栗栗，恐事之不终。且兵凶器，虽克所愿，动亦秏病，谓百姓远方何？又先帝知劳民不可烦，故不以为意。朕岂自谓能？今匈奴内侵，军吏无功，边民父子荷兵日久，朕常为动心伤痛，无日忘之。今未能销距，愿且坚边设候，结和通使，休宁北陲，为功多矣。且无议军。"故百姓无内外之繇，得息肩于田亩，天下殷富，粟至十余钱，鸣鸡吠狗，烟火万里，可谓和乐[2]者乎！

【注释】

①羁縻不备：笼络控制，不加防备。羁，马络头也；縻，朱靷也，羁縻引申为笼络控制。

②和乐：安乐。

【译文】

高祖得天下后，三方边境外族进犯，国内各大诸侯号称是天子的藩臣辅佐，为臣的义务却未尽到。等到高祖烦心战事，也是依靠萧何、张良的计谋，得以停息战事使百姓休养生息，对诸侯也是稍加约束，采用羁縻政策，未做过多的防备。

一直等到孝文帝即位后，将军陈武等建议说："南越、朝鲜在秦朝时即内属臣子，后来才拥兵自重，踌躇观望。高祖时天下初定，百姓刚刚得到安定，不能再次大量用兵。如今陛下以仁德抚慰百姓，四海之内的百姓都受到了恩泽，乘士民愿意为陛下效力的机会，讨伐叛党，一统疆土。"孝文帝说："朕自继位后，从来没有想到这件事。遇到吕氏之乱，功臣和宗室都不以我的低微出身为耻，阴差阳错让我得到大位，经常战战兢兢，害怕此事有始无终。况且兵是凶器，虽然能达到目的，发动起来也一定有耗损和创伤，又怎么能让百姓去远方征讨呢？先帝知道劳苦的百姓不可长用，才不把这些事放在心上。朕怎么能以为自己有本领呢？现在匈奴入侵，军吏御敌无功，边境百姓父死子继服兵役的日子已经很久了，朕经常为此感到不安和伤痛，没有一天忘怀。现在既不能销毁兵器，并且坚守边防多设斥候，派遣使者缔结友好，让北部边关得以休养生息，功劳就算很大了。现在就不要再讨论兴兵的事了。”所以百姓都没有徭役，得以休养生息致力于农事，天下殷实富足，粮食每斗十余文钱，国内鸡鸣犬吠之声相闻，烟火万里，可以算得上和平安乐了。

六

【原文】

太史公曰：文帝时，会天下新去汤火[①]，人民乐业，因其欲然，能不扰乱，故百姓遂安。自年六七十翁亦未尝至市井，游敖嬉戏如小儿状。孔子所称“有德君子”者邪？

【注释】

①新去汤火：刚从水深火热之中解脱出来。

【译文】

太史公说：孝文帝时，遇到天下百姓刚从水火中解脱出来，民众安心生产，顺从他们的意愿，能做到不加扰乱，使百姓安定。就连六七十岁的老人也没有到过市集，终日像孩子一样在乡里游乐玩耍。孔子说的“有德君子”不就是这样的吗？

七

【原文】

太史公曰：在旋玑玉衡以齐七政，即天地二十八宿。十母，十二子，钟律调自上古。建律运历造日度，可据而度[1]也。合符节，通道德，即从斯之谓也。

【注释】

①度：量度。

【译文】

太史公说：观察旋玑、玉衡，以了解日、月、五星所表现的七种政事变化，这就是指的二十八宿。十干、十二支和钟律自上古时就有了。建立一定的比率以运算历法，构造日星度数，时间的运行就可以量度出来。合符节，通道德，就是以此为依据的。

吴太伯世家

一

【原文】

吴太伯，太伯弟仲雍，皆周太王之子，而王季历之兄也。季历贤，而有圣[1]子昌，太王欲立季历以及[2]昌，于是太伯、仲雍二人乃奔荆蛮[3]，文[4]身断发，示不可用，以避季历。季历果立，是为王季，而昌为文王。太伯之奔荆蛮，自号句吴[5]。荆蛮义之，从而归之千余家，立为吴太伯。

【注释】

①圣：指道德和智慧达到极致。

②及：至的意思。

③荆蛮：上古中原人泛称荆地之民为“荆蛮”。

④文：同“纹”，是古代吴越地区人们在身上刺的花纹。

⑤句吴：也作“勾吴”。“句”没有意义，是当地的一种习惯性用

语。“句践”中“句”亦同。

【译文】

吴太伯和他的弟弟仲雍，都是周太王的儿子，王季历的兄长。季历很能干，还有一个很有圣德的儿子，名为昌，太王就想让季历继承王位，以便传位给昌，于是太伯、仲雍就逃到了荆蛮，而且像当地人一样，在身上刺满了纹样，把头发也剪断了，表示不再继承王位，将王位的继承权让给了季历。果然季历继承了王位，也就是王季，昌就是后来的文王。太伯来到荆蛮之后，就自称是“句吴”。荆蛮的人们觉得他这个人很有节义，于是归附他的有一千余户，并尊立他为吴太伯。

二

【原文】

太伯卒①，无子，弟仲雍立，是为吴仲雍。仲雍卒，子季简立。季简卒，子叔达立。叔达卒，子周章立。是时周武王克②殷，求太伯、仲雍之后，得周章。周章已君吴③，因而封之。乃封周章弟虞仲于周之北故夏虚，是为虞仲，列为诸侯。

【注释】

①卒：死的意思。古代大夫死曰卒。

②克：战争的意思。武王与殷纣的战争大约发生在公元前1046年。

③君吴：做吴国的国君。

【译文】

吴太伯死后，由于他没有儿子，于是由弟弟仲雍继位，也就是吴仲雍。仲雍死后，由其儿子季简继承王位。季简死后，又由他的儿子叔达继位。叔达死后，由其儿子周章继位。那个时候正好是周武王与殷纣之战胜利后，找太伯、仲雍后代的时候，找到了周章。然而周章已是吴君，于是就将吴封给了他。之后又将周章的弟弟虞仲封为位于周北面的夏都旧址，也就是虞仲，列为诸侯。

三

【原文】

周章卒，子熊遂立。熊遂卒，子柯相立。柯相卒，子强鸠夷立。强鸠夷卒，子馀桥疑吾立。馀桥疑吾卒，子柯卢立。柯卢卒，子周繇立。周繇卒，子屈羽立。屈羽卒，子夷吾立。夷吾卒，子禽处立。禽处卒，子转立。转卒，子颇高立。颇高卒，子句卑立。是时晋献公灭周北虞公[1]，以开晋[2]伐虢也。句卑卒，子去齐立。去齐卒，子寿梦立。寿梦立而吴始益大，称王。

【注释】

①晋献公灭周北虞公：晋献公向虞国借道伐虢，灭虢后，返师灭虞。

②开晋：拓展晋国疆土。

【译文】

周章死后，其位由儿子熊遂继承。熊遂死后，其位又由儿子柯相继承。柯相死后，其位由儿子强鸠夷继承。强鸠夷死后，其位由儿子馀桥疑吾继承。馀桥疑吾死后，其位由儿子柯卢继承。柯卢死后，其位由儿子周繇继承。周繇死后，其位由儿子屈羽继承。屈羽死后，其位由儿子夷吾继承。夷吾死后，其位由儿子禽处继承。禽处死后，其位由儿子转继承。转死后，其位由儿子颇高继承。颇高死后，其位由儿子句卑继承。到这时候晋献公正好灭了周北虞公，其目的是要扩展晋国的地域、征伐虢国。句卑死后，其位由儿子去齐继承。去齐死后，其位由儿子寿梦继承。寿梦在位的时候吴国逐渐强大起来，自称为王。

四

【原文】

自太伯作[①]吴，五世[②]而武王克殷，封其后为二：其一虞，在中国[③]；其一吴，在夷蛮[④]。十二世而晋灭中国之虞。中国之虞灭二世，而夷蛮之吴兴。大凡[⑤]从太伯至寿梦十九世。

【注释】

①作：创立。

②世：“代”的意思。

③中国：古代指的是中原黄河流域一带，是华夏族聚居的地方。

④夷蛮：古代指中原以外的少数民族地区。

⑤大凡：共计。

【译文】

从吴太伯建立吴国开始计算，到第五代的时候武王战胜殷朝，将其后代封为二国：一个是虞国，位于中原地带；一个是吴国，位于夷蛮地区。到了第十二代的时候，晋国除掉了中原地带的虞国。又过了两代之后，夷蛮地区的吴国开始兴盛。从太伯到寿梦总共传了十九代。

五

【原文】

七年，吴王夫差闻齐景公死而大臣争宠，新君[①]弱，乃兴师北伐齐。子胥谏曰：“越王句践食不重味[②]，衣不重采[③]，吊死问疾，且欲有所用其众。此人不死，必为吴患。今越在腹心疾而王不先，而务齐，不亦谬乎！”吴王不听，遂北伐齐，败齐师于艾陵。至缯，召鲁哀公而征百牢[④]。季康子使子贡以周礼说太宰嚭，乃得止。因留略地于齐鲁之南。九年，为驺[⑤]伐鲁，至，与鲁盟乃去。

十年，因伐齐而归。十一年，复北伐齐。

【注释】

①新君：指齐国新立的王晏孺子。

②重味：两种以上的菜肴。

③重采：两种以上的颜色。

④牢：古代祭祀和宴会的时候所用的牲畜，一牛和一羊为一牢。

⑤驺（zōu）：通“邹”，又作“郰”。

【译文】

吴王夫差七年（公元前489年），吴王夫差听说齐景公死后大臣争权，而新立的国君由于年小没有势力，于是决定起兵攻打齐国。伍子胥劝他说：“越王勾践吃饭时从来都不设两种以上的菜肴，穿衣服从不用两种以上的颜色，吊唁死者，慰问有病的人，他这是要利用百姓攻打吴国啊。勾践不死，一定会成为吴国的大患。如今越国是我吴国的心腹大患，您却不加重视，而把主力用于攻打齐国，这可是大错啊。”吴王没有听从他的意见，还是决定出兵攻打齐国，在艾陵打败齐兵，前锋到达了缯县。他召见鲁哀公并向鲁国索要百牢，季康子派子贡用周礼来劝说太宰伯嚭，吴王才罢休。吴王留下来开始掠取齐国和鲁国南面的土地。九年，邹国讨伐鲁国，到了鲁国后，与鲁国签订了盟约才离开。十年，凭借当时的势力又讨伐齐国。十一年，又一次讨伐齐国。

六

【原文】

越王句践率其众以朝吴，厚献遗之，吴王喜。唯子胥惧，曰：“是弃吴也。”谏曰：“越在腹心，今得志于齐，犹石田，无所用。且《盘庚》之诰[①]有颠越勿遗，商之以兴。”吴王不听，使子胥于齐，子胥属其子于齐鲍氏，还报吴王。吴王闻之，大怒，赐子胥属镂[2]之剑以死。将死，曰："树[3]吾墓上以梓，令可为器。抉[4]吾眼置之吴东门，以观越之灭吴也。"

【注释】

①《盘庚》之诰：是《尚书·盘庚》中记载商王盘庚告诫臣民的讲话记录。

②属镂：剑之名。

③树：种植。

④抉：挖的意思。

【译文】

越王勾践带着越国的大臣前来拜见吴王，为吴王献上了丰厚的贡礼，吴王非常开心。然而，伍子胥却感到很害怕，说："这是要丢掉吴国了啊。"于是伍子胥劝谏吴王说："越国就是我国的心腹之地，如今我们虽然能打败齐国，但这好比石头田地，根本没有一点用处。而且《盘庚》之诰说，只有把乱妄的人全部除掉，商王朝才会兴盛。"吴王没有听从他的意见，而是派他出使齐国，伍子胥把他的儿子交给齐国的鲍氏家族后向吴王复命。吴王听说后，非常愤怒，将属镂之剑赐给伍子胥让他自杀。伍子胥在临死的时候说："你们在我的坟墓上种上梓树，将来可以用它做棺材。再把我的眼睛挖出来摆放在吴国的东门上，让我看到越国是如何灭掉吴国的。"

七

【原文】

齐鲍氏弑齐悼公。吴王闻之，哭于军门外三日，乃从海上攻齐。齐人败吴，吴王乃引兵归。

十三年，吴召鲁、卫之君会于橐皋[1]。

【注释】

①橐（tuó）皋：地名。现在的安徽省巢湖市境。

【译文】

齐国的大夫鲍氏杀掉了齐悼公。吴王听了之后，在军门外哭泣了整整三天，才从海上运兵过来攻打齐国。齐国打败吴军，吴王带领着军队离开。

十三年，吴王召集鲁、卫两国的国君在橐皋会盟。

齐太公世家

一

【原文】

太公望吕尚者，东海①上人。其先祖尝为四岳②，佐③禹平水土甚有功。虞夏之际④封于吕，或⑤封于申，姓姜氏⑥。夏商之时，申、吕或封枝⑦庶子孙，或为庶人⑧，尚其后苗裔也。本姓姜氏，从其封姓，故曰吕尚。

【注释】

①东海：指今江苏、山东一带。

②四岳：传说是在尧舜禹时代掌管四方的长官。

③佐：辅佐。

④虞夏之际：舜、禹执政时期。

⑤或：有的。

⑥姓姜氏：根据上古的说法应为“姜姓吕氏”。

⑦枝：同“支”。

⑧庶人：平民。

【译文】

太公望吕尚，是东海人。他的祖先曾经担任过四方部落的长官，辅佐大禹治水有功。舜、禹执政时期被封到了吕，有的被封到了申，姓姜。夏、商的时候，申、吕两地有的被封给了旁系的后代，还有的后代变成了平民，而吕尚就是其较远旁系的后裔。吕尚本来姓姜，后来根据封地为他命名，所以叫吕尚。

二

【原文】

吕尚盖①尝穷困，年老矣，以渔钓奸周西伯。西伯将出猎，卜之，曰“所获非龙非彲②，非虎非罴③；所获霸王之辅④”。于是周西伯猎，果遇太公于渭之阳⑤，与语大说⑥，曰：“自吾先君太公曰‘当有圣人适⑦周，周以兴’。子真是邪⑧？吾太公望子久矣。”故号之曰“太公望”，载与俱归，立为师。

【注释】

①盖：在句中是语气助词，没有意义。

②彲（chī）：通“螭”，无角之龙。

③罴（pí）：棕熊。

④霸王之辅：能够帮助实现称王称霸的人才。

⑤阳：河的北岸。

⑥说：同“悦”。

⑦适：到。

⑧邪：疑问助词，相当于现代汉语中的“吗”。

【译文】

吕尚曾经非常贫穷，他年迈时，凭借钓鱼的机会去见周西伯。西伯在准备出去打猎的时候，占卜过一卦，卦上说：

“所捕猎物不是龙也不是螭，不是虎也不是熊；此次获得的是可以辅佐您成就大业的臣子。”于是西伯出去打猎，果真在渭河的北岸与太公相遇，与太公谈话之后，西伯很是高兴，说：“以前我的先君太公就说：‘一定会有圣明之人到周，周会因此逐渐兴盛起来。’大概说的就是您吧？我们太公期盼您很久了。”所以吕尚被称为“太公望”，两人同乘坐一辆回国，任他为太师。

三

【原文】

或曰，太公博闻，尝事纣。纣无道，去之。游说诸侯，无所遇，而卒西归周西伯。或曰，吕尚处士①，隐海滨。周西伯拘羑里，散宜生、闳夭素知而招吕尚。吕尚亦曰“吾闻西伯贤，又善养老，盍②往焉”。三人者为西伯求美女奇物，献之于纣，以赎西伯。西伯得以出，反③国。言吕尚所以事周④虽异，然要之为文武师。

周西伯昌之脱羑里归，与吕尚阴谋修德以倾⑤商政，其事多兵权⑥与奇计，故后世之言兵及周之阴权⑦皆宗太公为本谋。周西伯政平⑧，及断虞芮之讼，而诗人称西伯受命曰文王。伐崇、密须、犬夷⑨，大作⑩丰邑。天下三分，其二归周者，太公之谋计居多。

【注释】

①处士：有才有德而隐居不做官之人。

②盍：同“何”，何不。

③反：同“返”。

④所以事周：辅佐周的原因。

⑤倾：推翻的意思。

⑥兵权：用兵的谋略。

⑦阴权：隐蔽而比较灵活的方法。

⑧政平：政治清平。

⑨犬夷：古代部族的名称。

⑩作：建设。

【译文】

有些人说，太公学问深厚见识广博，以前为商纣王做过事。因为商纣王无道，太公便离开了。他周游列国，游说诸侯，没有遇到能懂他的君王，后来就西行归附了周西伯。也有人说，吕尚是一个处士，隐居在海滨地带。周西伯在羑里被囚禁时，西伯的臣子散宜生、闳夭很久以前就听说了吕尚这个人，于是前去请他。吕尚也说："曾听说西伯是一位贤德之士，而且还关心老人，为什么不前去呢？"这三个人为了救出西伯，到处寻找美女和稀奇宝物，来献给商纣王，以赎出西伯。这才使西伯得到释放，回到周国。虽然吕尚归附周有很多种不同的说法，然而都认为他是文王、武王之师。

周西伯姬昌从羑里脱身回国之后，暗地里与吕尚一起谋划以推行德政来推翻商纣王的统治，其中有很多是用兵的谋略和计策，因此后代们在商谈用兵的道理和周朝的秘密权术时，都会遵循太公的基本策略。周西伯从政以来政治清平，特别是在明断虞、芮两国的土地争端案后，诗人们认为西伯是受命于天的文王。西伯之后又攻打了崇国、密须和犬夷，大规模地建设丰邑。天下三分之二的诸侯都归顺了周，这主要得益于太公的策划。

四

【原文】

三十年春，齐桓公率诸侯伐蔡，蔡溃。遂伐楚。楚成王兴师问曰："何故涉吾地？"管仲对曰："昔召康公命我先君太公曰：‘五侯九伯，若[1]实征之，以夹辅[2]周室。’赐我先君履[3]，东至海，西至河，南至穆陵，北至无棣。楚贡包茅[4]不入，王祭不具，是以来责。昭王南征不复，是以来问。”楚王曰：“贡之不入，有之，寡人罪也，敢不共[5]乎！昭王之出不复，君其问之水滨。”齐师进次[6]于陉。夏，楚王使屈完将兵扞[7]齐，齐师退次召陵。桓公矜屈完以其众。屈完曰：“君以道则可；若不[8]，则楚方城以为城，江、汉以为沟，君安能进乎？”乃与屈完盟而去。过陈，陈袁涛涂诈齐，令出东方，觉。秋，齐伐陈。是岁，晋杀太子申生。

【注释】

①若：你的意思。

②夹辅：辅佐。

③履：所践履的疆界。

④包茅：是楚国的特产，用来进贡周王室。

⑤共：通“供”，供给的意思。

⑥次：超过两天。

⑦扞（hàn）：同“捍”，抵御。

⑧不：同“否”。

【译文】

齐桓公三十年（公元前656年）春，齐桓公带领诸侯攻打蔡国，蔡国被打败。紧接着又攻打楚国，楚成王就带兵来问：“为什么要入侵我国的土地？”管仲答道：“过去召康公命令我国的国君太公说：‘天下诸侯，你有征伐的权力，用来辅佐周王室。’赐予了我国先君有权征伐的疆界，东到大海，西到黄河，南道穆陵，北到无棣。楚国本应进献包茅却没有进献，致使天子祭祀的东西不全，所以来督责。昭王南下征伐没有归来，死在了南方，所以前来问罪。”楚王说：“没有进献贡品，这是事实，是我的过错，日后必定不敢不进贡。关于昭王没有返回，并不是在我楚国，您可以到汉水边界去问罪。”齐军继续前进，到达陉山。夏天，楚王让屈完带兵前去抗齐，齐军退兵到了召陵。齐桓公向屈完炫耀自己的武力。屈完说：“君王要合乎正义才能获胜，否则，楚国就会以方城为城墙，以长江、汉水为护城河，您还如何推进啊？”齐桓公与屈完签订了合约就回国了。途中经过陈国，陈国大夫袁涛涂就骗桓公，让他们走东线，从而不会经过陈国，结果齐国发觉了他的谎言。秋天的时候，齐国出兵攻打陈国。就在这一年，晋国的国君杀掉了太子申生。

五

【原文】

三十五年夏，会诸侯于葵丘。周襄王使宰孔赐桓公文武胙、彤弓矢、大路①，命无拜。桓公欲许之，管仲曰“不可”，乃下拜受赐。秋，复会诸侯于葵丘，益有骄色。周使宰孔会。诸侯颇有叛者。晋侯病，后，遇宰孔。宰孔曰：“齐侯骄矣，弟②无行。”从之。是岁，晋献公卒，里克杀奚齐、卓子，秦穆公以夫人③入公子夷吾为晋君。桓公于是讨晋乱，至高梁，使隰朋立晋君，还。

【注释】

①大路：同“大辂”，是诸侯朝服之车。

②弟：通“第”，尽管。

③以夫人：因为夫人的关系。

【译文】

三十五年夏，齐桓公与诸侯在葵丘会盟。周襄王让宰孔把祭祀过文王武王的祭肉、朱红色的弓箭、车辆都赏赐给桓公，还允许桓公不用行跪拜大礼。桓公就不准备行礼了，管仲说：“不可以。”于是桓公跪拜接受了周王的赏赐。秋天的时候，又在葵丘与诸侯盟会，桓公看上去更加骄傲。周王派宰孔参加了这次盟会，此时诸侯中已有人叛离。晋侯因为有病而晚到，在路上正好遇上了宰孔，宰孔说：“齐桓公现在很是骄傲，你不去也没什么的。”晋侯听了他的话没有去参加会盟。这年，晋献公死了，里克杀掉了晋献公的儿子奚齐和卓子，秦穆公因为夫人的关系，将公子夷吾护送回了晋国，做了晋国的国君。桓公讨伐晋国的叛乱，到了高梁，派隰朋立夷吾为国君，才撤军回国。

晋世家

一

【原文】

十二年，骊姬生奚齐。献公有意废太子，乃曰：“曲沃吾先祖宗庙所在，而蒲边秦，屈边翟[1]，不使诸子居之，我惧焉。”于是使太子申生居曲沃，公子重耳居蒲，公子夷吾居屈。献公与骊姬子奚齐居绛。晋国以此知太子不立也。太子申生，其母齐桓公女也，曰齐姜，早死。申生同母女弟为秦穆公夫人。重耳母，翟之狐氏女也。夷吾母，重耳母女弟也。献公子八人，而太子申生、重耳、夷吾皆有贤行。及得骊姬，乃远此三子。

十六年，晋献公作二军。公将上军，太子申生将下军，赵夙御戎，毕万为右，伐灭霍，灭魏，灭耿[2]。还，为太子城曲沃，赐赵夙耿，赐毕万魏，以为大夫。士芀曰：“太子不得立矣。分之都城，而位以卿，先为之极，又安得立！不如逃之，无使罪至。为吴太伯，不亦可乎，犹有令名。”太子不从。卜偃曰：“毕万之后必大。万，盈数也；魏，大名也。以是始赏，天开之矣。天子曰兆民，诸侯曰万民，今命之大，以从盈数，其必有众。”初，毕万卜仕于晋国，遇《屯》之《比》。辛廖占之曰：“吉。《屯》固《比》入，吉孰大焉。其后必蕃昌。”

【注释】

①翟（dí）：翟国，狄人所在的部落。

②耿：春秋时国名，今山西河津市一带。

【译文】

晋献公十二年（公元前665年），晋献公的妃子骊姬产下奚齐。基于对骊姬的宠爱，晋献公想要把原来的太子废掉，便说：“我们祖先庙宇所在的地方是曲沃，蒲地紧挨着秦国，屈地紧挨着翟国，如果不让我的儿子们前去居住镇守，那么我就有些担心了。”于是便将太子申生派去镇守曲沃这个地方，镇守蒲地的是公子重耳，镇守屈地的是公子夷吾。晋献公和骊姬的儿子奚齐则负责在晋国古都绛驻守。由此晋国的人都知道太子申生的地位已经不保了。太子申生的母亲是齐桓公的女儿，名为齐姜，很早便过世了。申生还有一个同父同母的妹妹，已嫁给了秦穆公。重耳母亲是翟国狐氏的女儿。公子夷吾的母亲和公子重耳的母亲是亲姐妹。晋献公的儿子有八个，其中最有贤能、品德又很高尚的就是太子申生、公子重耳和公子夷吾了。晋献公娶了骊姬后，便慢慢地疏远了这三个儿子。

十六年，晋献公成立二军。上军由晋献公亲自率领，下军则由太子申生率领，负责驾驶战车的是赵夙，是晋国赵氏的领袖，护右将军为毕万，是毕公高的后人，征讨诛灭了霍国、魏国和耿国。等到全军大胜而归后，晋献公在曲沃这个地方为太子申生建筑了城池，并且将耿地赏赐给了赵夙，将魏地赏赐给了毕万，赐予他们大夫的职位。士蔿说：“太子已经不可能再被立为国君了。晋献公给他建了城池，也只能列于卿大夫的行列了，将太子的地位事先提高到这个地步，又怎么会再把他立为国君呢！太子申生倒不如赶快逃跑，以避免引来不必要的灾祸。您学着吴国第一代君王吴太伯的样子，不也行得通吗，这样还可以得到一个好名声。”太子申生并没有听从。晋国大夫郭偃说：“毕万日后会发展壮大。万，是一个满数；魏，又是一个大名。刚开始就把魏地赏赐给毕万，这是上天赐给他的福祉。天子有一兆的子民，诸侯有一万的子民，如今赐予毕万大名，又拥有一个满数，最后肯定会有很多人跟随他。”起初，毕万在晋国曾经占卜过自己的官运，见到了屯卦又演变成了比卦。辛廖占卜说：“大吉。屯代表着坚固，比象征着深入，没有比这样的卦象更吉利的了。他的后代肯定会繁衍昌盛的。”

二

【原文】

十七年，晋侯使太子申生伐东山。里克谏献公曰：“太子奉冢祀社稷之粢[1]盛，以朝夕视君膳者也，故曰冢子[2]。君行则守，有守则从，从曰抚军，守曰监国，古之制也。夫率师，专行谋也；誓军旅，君与国政之所图也：非太子之事也。师在制命而已，禀命则不威，专命则不孝，故君之嗣適不可以帅师。君失其官，率师不威，将安用之？”公曰：“寡人有子，未知其太子谁立。”里克不对而退，见太子。太子曰：“吾其废乎？”里克曰：“太子勉之！教以军旅，不共是惧，何故废乎？且子惧不孝，毋惧不得立。修己而不责人，则免于难。”太子帅师，公衣之偏衣[3]，佩之金玦[4]。里克谢病，不从太子。太子遂伐东山。

十九年，献公曰："始吾先君庄伯、武公之诛晋乱，而虢常助晋伐我，又匿晋亡公子，果为乱。弗诛，后遗子孙忧。"乃使荀息以屈产之乘假道于虞。虞假道，遂伐虢，取其下阳以归。

【注释】

①粢（zī）：谷物的总称。

②冢（zhǒng）子：古时候的嫡长子就被称为冢子。

③偏衣：衣服左右的颜色不一样。

④金玦（jué）：统领军队的标志。

【译文】

十七年，晋献公派遣太子申生带军征讨东山。里克劝谏晋献公说："太子最主要的任务是供奉宗庙、供奉社稷祭品以此来保证谷物的昌盛，以此来检查君主早晚的膳食，所以才将其称为嫡长子。君主出行太子就应该留家守候，有人留守太子就需要跟随君主出行，随君主出行称之为抚军，留守则称为监国，这是从古时候传来下的制度。统率军队的人，只能一心去策划谋略；在军中发号命令，这是君主和卿大夫的事情：并不是太子应该做的事情。军队的统帅只要服从将军的命令，太子从君主这里请命则失了威严；一意孤行又失了孝顺，所以君主的嫡长子是不可以率领军队的。君主失去了任命官职的准则，太子率领军队也会失去威严，怎么能指挥军队作战呢？"晋献公回答说："我有好几个儿子，并不知道该把谁立为太子。"里克没有回答就退出来了，接着去拜见了太子。太子问："我是不是要被废除了？"里克说："太子要自勉啊！让您当军队的统帅，应该担心无法完成任务，为何会担心把您废除呢？更何况您担心的该是不孝的问题，而不应该担心将您废掉的问题。提高自身的修养而不去责备他人，就能够免于灾难了。”太子带领军队，晋献公让他穿着左右颜色不一样的衣服，拿着率领军队的标志金玦。里克以生病为由，没有跟随太子出征。于是太子申生便带军征讨东山去了。

十九年，晋献公说：“最初我们的先祖庄伯、武公平息晋国战乱的时候，虢国经常帮助晋国征讨我们，后来还将晋国逃亡的公子藏了起来，如果他们作乱，又不去征讨，这是给自己的后世子孙留下忧患啊。”于是便派遣荀息骑着屈地所产的骏马前往虞国借路。虞国同意，晋国便去征讨虢国，拿下下阳后才返回。

三

【原文】

献公私谓骊姬曰：“吾欲废太子，以奚齐代之。”骊姬泣曰：“太子之立，诸侯皆已知之，而数将兵，百姓附之，奈何以贱妾之故废適立庶？君必行之，妾自杀也。”骊姬详[1]誉太子，而阴令人谮[2]恶太子，而欲立其子。

二十一年，骊姬谓太子曰：“君梦见齐姜，太子速祭曲沃，归釐于君。”太子于是祭其母齐姜于曲沃，上其荐胙[3]于献公。献公时出猎，置胙于宫中。骊姬使人置毒药胙中。居二日，献公从猎来还，宰人上胙献公。献公欲飨之。骊姬从旁止之，曰：“胙所从来远，宜试之。”祭地，地坟；与犬，犬死；与小臣，小臣死。骊姬泣曰：“太子何忍也！其父而欲弑代之，况他人乎？且君老矣，旦暮之人，曾不能待而欲弑之！”谓献公曰：“太子所以然者，不过以妾及奚齐之故。妾愿子母辟之他国，若早自杀，毋徒使母子为太子所鱼肉也。始君欲废之，妾犹恨之；至于今，妾殊自失于此。”太子闻之，奔新城。献公怒，乃诛其傅杜原款。或谓太子曰：“为此药者乃骊姬也，太子何不自辞明之？”太子曰：“吾君老矣，非骊姬，寝不安，食不甘。即辞之，君且怒之。不可。”或谓太子曰：“可奔他国。”太子曰：“被此恶名以出，人谁内我？我自杀耳。”十二月戊申，申生自杀于新城。

此时重耳、夷吾来朝。人或告骊姬曰：“二公子怨骊姬谮杀太子。”骊姬恐，因谮二公子：“申生之药胙，二公子知之。”二子闻之，恐，重耳走蒲，夷吾走屈，保其城，自备守。初，献公使士蒍为二公子筑蒲、屈城，弗就。夷吾以告公，公怒士蒍。士蒍谢曰：“边城少寇，安用之？”退而歌曰：“狐裘蒙茸，一国三公，吾谁适从！”卒就城。及申生死，二子亦归保其城。

二十二年，献公怒二子不辞而去，果有谋矣，乃使兵伐蒲。蒲人之宦者勃鞮命重耳促自杀。重耳逾垣，宦者追斩其衣袪。重耳遂奔翟。使人伐屈，屈城守，不可下。

【注释】

①详：通“佯”，假装。

②谮：进谗言。

③胙（zuò）：古时候祭祀用的肉类。

【译文】

晋献公私下对骊姬说：“我想要将太子废除掉，让奚齐代替他。”骊姬哭着说：“太子的地位早就已经确立了，朝中诸侯都知道这件事情，而且太子申生几次率军出征，百姓们都依附于他，又为什么要因为我的庶子而废太子呢？您如果执意这么做，我只能自杀了。”骊姬假意赞美太子申生，私下里却让人向晋献公进谗言污蔑太子，想要让太子之位落入自己儿子的手里。

二十一年，骊姬对太子说："国君梦到了齐姜，太子应该赶快去曲沃祭拜一下自己的母亲，回来之后将祭拜时用的肉送给国君。"于是太子听了骊姬的话便前去曲沃祭奠自己的母亲齐姜，回来之后将祭拜时用的肉献给了晋献公。恰好晋献公外出打猎了，于是太子便把肉放在了晋献公的寝宫里。骊姬偷偷派人在肉里下了毒。第二天，晋献公打猎回来，厨师将太子献上的祭肉端给了晋献公，晋献公刚想要食用。骊姬在旁边出言阻止道："这块肉是从远处送来的，还是先试一下吧。"于是便让人将肉放在地上，地面就凸起成了坟状；将肉喂给狗吃，狗便死了；把肉给一个宦官吃，宦官也死了。骊姬哭着说："太子怎么会忍心这么做呢！自己的父亲都要杀掉取而代之，何况其他人呢？国君您已经老了，已是垂暮之人，太子都没办法耐心等待反而想要将您杀掉！"骊姬又对献公说："太子这么做，无非是因为我和奚齐。我愿意带着自己的儿子去他国避祸，或者早早自杀了事，不能让我们母子成为太子板上的鱼肉。刚开始国君想要将太子废掉，我还坚决反对；而到了现在，我才知道自己犯下了大错。"太子知道了这件事，逃往新城。晋献公大怒，于是便将太子的老师杜原款诛杀了。有人告诉太子说："在肉里置放毒药的是骊姬，太子为什么不明确告诉国君呢？"太子说："我们的国君已经老了，没有骊姬，他都睡不安稳，吃饭也没有味道。如果我说清楚这件事，国君肯定会大怒的。不能这么做啊。"有人又对太子说："可以去其他诸侯国逃难。"太子说："以这样的恶名逃跑，又有谁肯收容我呢？我干脆自杀吧！"十二月戊申日，申生在新城自杀身亡。

这时公子重耳和公子夷吾前来拜见国君。有人对骊姬说："这两个公子怨恨你诬陷诛杀太子。"骊姬心里非常恐慌，于是又诬陷两位公子："申生把毒药放在肉里，这件事情两位公子是知道的。”重耳和夷吾听了之后，心中恐慌，重耳前往蒲地避难，夷吾前往屈地避难，保护自己所在的城市，戒备森严。起初，晋献公派遣士蒍给两个儿子建筑蒲地、屈地，到现在都没有完工。夷吾将这件事情告诉晋献公，晋献公迁怒于士蒍。士蒍说道：“边城那边的贼寇很少，哪用得上城墙呢？”退下之后又唱到：“狐狸的毛都乱了，一个国家三个主人，我到底该听从谁的呢！”于是便把城墙修好了。等到太子申生死了之后，两个公子也都回到自己的封地保护自己的封地。

二十二年，对于重耳和夷吾不辞而别这件事，晋献公特别生气，认为他们确有阴谋，于是便派遣军队征讨蒲地。蒲地有一个叫勃鞮的宦官命令重耳快点自杀。重耳跳墙逃跑，宦官追上去斩断了他的衣角。于是重耳逃到翟地。晋献公又派遣军队征讨屈地，屈地守备森严，没有攻下。

孔子世家

一

【原文】

孔子生鲁昌平乡陬邑①。其先②宋人也，曰孔防叔。防叔生伯夏，伯夏生叔梁纥。纥与颜氏女野合③而生孔子，祷④于尼丘得孔子。鲁襄公二十二年而孔子生。生而首上圩顶⑤，故因名曰丘云。字仲尼，姓孔氏。

【注释】

①陬（zōu）邑：今山东曲阜城东南。

②先：祖先。

③野合：没有婚嫁而交合。

④祷：祈祷。

⑤圩（yú）顶：形容人的头顶四周高，中间低。

【译文】

孔子生在鲁国昌平乡的陬邑。他的祖先是宋国人，名叫孔防叔。孔防叔生了伯夏，伯夏生了叔梁纥。叔梁纥和颜氏女儿未婚生下了孔子，据说是前往尼丘山祈祷而有的孔子。鲁襄公二十二年（公元前551年）的时候孔子出生，孔子出生时头顶呈“凹”字形，因此就给他取名为丘。字仲尼，姓孔氏。

二

【原文】

丘生而叔梁纥死，葬于防山。防山在鲁东，由是孔子疑其父墓处，母讳之[①]也。孔子为儿嬉戏，常陈俎豆[②]，设礼容[③]。孔子母死，乃殡五父之衢[④]，盖其慎也。陬[⑤]人輓父之母诲[⑥]孔子父墓，然后往合葬于防焉[⑦]。

【注释】

①讳之：隐瞒，因有所顾忌而没有告诉他。

②陈：陈列。俎豆：古代用来盛祭品的器皿。

③礼容：仪容。

④五父之衢（qú）：路名，是鲁城内的街道。

⑤陬：陬邑。

⑥诲：告诉。

⑦焉：代指防山。

【译文】

孔丘出生后，叔梁纥就去世了，埋葬在防山。防山位于鲁国都城的东面，孔子不知道自己的父亲具体埋葬在哪里，这是因为孔子的母亲因有所顾忌而没有把具体的地点告诉他。孔子小时候做游戏，经常摆放像俎豆之类的礼器，模仿大人做祭祀的礼仪。孔子的母亲死后，她的灵柩暂时放在了五父之衢，这是孔子经过谨慎考虑之后的决定。陬邑人輓父的母亲将孔子父亲的墓地告诉了孔子，然后孔子才把母亲的尸体与父亲的合葬在防山。

三

【原文】

孔子年十七，鲁大夫孟釐子病且[①]死，诫[②]其嗣懿子曰：“孔丘，圣人之后，灭于宋。其祖弗父何始有宋而嗣让厉公。及正考父佐戴、武、宣公，三命[③]兹益恭，故鼎铭[④]云：‘一命而偻[⑤]，再命而伛[⑥]，三命而俯，循墙而走，亦莫敢余侮。饘[⑦]于是，粥于是，以餬余口。’其恭如是。吾闻圣人之后，虽不当世，必有达者。今孔丘年少好礼，其达者欤？吾即没，若[⑧]必师之。”及釐子卒，懿子与鲁人南宫敬叔往学礼焉。是岁，季武子卒，平子代立。

【注释】

①且：将要，将近。

②诫：嘱告。

③三命：指三次加官晋爵。

④鼎铭：鼎上的文字。

⑤偻：曲背。

⑥伛：义同“偻”。

⑦饘（zhān）：稠粥。

⑧若：你，指孟懿子。

【译文】

就在孔子十七岁的时候，鲁国的大夫孟釐子得了重病，在将死的时候告诫儿子懿子说："孔丘，是圣人的后代，他的祖先在宋国的时候被灭了。他的先祖弗父何原本可以担任宋国国君，却将君位让给了弟弟厉公。他的先祖正考父，曾辅佐宋戴公、宋武公、宋宣公三朝，有过三次晋封加官，官位越高，他越谦逊，因此在正考父鼎的铭文上写着：'在第一次任命的时候我低头曲背接受，第二次任命的时候我弯腰接受，第三次任命的时候我弓着身体，走路的时候顺着墙根，也没有人敢欺侮我。每天做些粥来糊口。'他就是如此的恭谦。我听说只要是圣人的后代，虽然做不成国君，也一定是才华出众之人。如今年龄尚小的孔子就很懂礼，难道他不就是才华出众之人吗？假如我死了，你一定要拜他为师。孟釐子去世之后，孟懿子和鲁国人南宫敬叔就去找孔子学礼了。就在这一年，季武子去世了，卿位由他的儿子平子继承。

四

【原文】

定公十四年，孔子年五十六，由大司寇行摄相①事，有喜色。门人曰："闻君子祸至不惧，福至不喜。"孔子曰："有是言也。不曰'乐其以贵下人'乎？"于是诛鲁大夫乱政者少正②卯。与闻③国政三月，粥羔豚者弗饰贾④；男女行者别于途；途不拾遗；四方之客至乎邑者不求有司，皆予之以归。

【注释】

①相：指处理政务的最高行政官。

②少正：官名。

③与闻：参与。

④贾：同"价"。

【译文】

鲁定公十四年，这年孔子已经五十六岁，由大司寇被任命为理国相职务，他流露出高兴的神色。他的弟子便说："听说君子在大祸降临的时候不恐惧，福禄到来也不会喜形于色。"孔子说道："是有这样一句话，但不是还有'君子身处高官之位而以礼贤下士为乐'的话吗？"于是孔子手握权力的时候就把扰乱鲁国政治的少正卯杀了。在孔子参与国家政治事务的三个月里，那些贩卖猪、羊的商人都不敢再乱要价了；男女行人都是分开走路；别人遗失在路上的东西也没有人捡走；从四面八方到鲁国游玩的人不需要向官员们求情送礼，就能得到很好的照顾，就像回到自己家中一样。

五

【原文】

齐人闻而惧，曰："孔子为政必霸，霸则吾地近焉，我之为先并矣。盍①致地焉？"黎钼曰："请先尝沮之；沮之而不可则致地，庸②迟乎！"于是选齐国中女子好者八十人，皆衣文衣③而舞《康乐》，文马④三十驷，遗鲁君。陈女乐文马于鲁城南高门外。季桓子微服往观再三，将受，乃语鲁君为周道游⑤，往观终日，怠于政事。子路曰："夫子可以行矣。"孔子曰："鲁今且郊，如致膰⑥乎大夫，则吾犹可以止。"桓子卒受齐女乐，三日不听政；郊，又不致膰俎于大夫。孔子遂行，宿乎屯。而师已送，曰："夫子则非罪。"孔子曰："吾歌可夫？"歌曰："彼妇之口，可以出走；彼妇之谒，可以死败。盖优哉游哉，维以卒岁！"师已反，桓子曰："孔子亦何言？"师已以实告。桓子喟然⑦叹曰："夫子罪我以群婢⑧故也夫！"

【注释】

①盍：何不。

②庸：难道。

③文衣：指华丽的衣服。

④文马：身披彩饰的马。

⑤周道游：指环游各地。

⑥膰（fán）：祭祀时用的烤肉。

⑦喟然：长叹的样子。

⑧群婢：指女乐。

【译文】

齐国听说这个消息之后很害怕，说："如果孔子一直在鲁国当政，那么鲁国一定能够称霸，鲁国一旦称霸，我们是距离它最近的国家，那么首先被吞并的就是我们。何不趁早送给他们一些土地呢？"黎钼说："我们可以先尝试着去阻止他们，如果阻止不了，再送给他们土地，难道这样还算迟吗！"于是从齐国挑选了八十个貌美的女子，让她们都穿着华丽的衣服，学跳《康乐》的舞蹈，又配上一百二十匹身有花纹的马，一并送到了鲁国。来到鲁国后，他们把女乐和花纹马安置在鲁国城南门外。季桓子穿着便服前去观察了几次，决定接受，告诉鲁君他要到各地周游视察，而借机每天在城南门观看齐国的美女和骏马，根本不管国家政事。子路便对孔子说："先生可以离开这里了。"孔子说："鲁国马上就要在郊外祭祀了，如果在祭祀之后，能按照礼法将典礼之后的烤肉分给大夫们，那我们就可以留下来。"季桓子接受了齐国的女乐，并且一连三天都没有过问政事，在郊外祭祀完毕后，没有按照礼法把烤肉分给大夫们。于是孔子选择了离开，当天就在屯地留宿。鲁国名为师己的乐师前来为孔子送行，师己说："您没有一点过错。"孔子说："我给你们唱一首歌，好不好？”于是他唱道：“像妇人一样搬弄口舌，能害你到处流浪；妇人的话，可以害人身死名败。悠闲自在，我就想如此度过剩余的岁月！”师已回到鲁国后，桓子问他道：“孔子走的时候都说什么了？”师已将孔子的原话告诉了他。桓子长叹了一口气，说：“他是怪我们接受齐国送来的女乐啊！”

六

【原文】

孔子迁于蔡三岁，吴伐陈。楚救陈，军于城父①。闻孔子在陈、蔡之间，楚使人聘孔子。孔子将往拜礼，陈、蔡大夫谋曰：“孔子贤者，所刺②讥皆中诸侯之疾。今者久留陈、蔡之间，诸大夫所设行③皆非仲尼之意。今楚，大国也，来聘孔子。孔子用于楚，则陈、蔡用事④大夫危矣。”于是乃相与发徒役⑤围孔子于野。不得行，绝粮。从者病，莫能兴。孔子讲诵弦歌不衰。子路愠见曰：“君子亦有穷⑥乎？”孔子曰：“君子固穷，小人穷斯滥矣。”

【注释】

①城父：城邑名，现河南宝丰东，平顶山西北。

②刺：指责。

③设行：指施行政策。

④用事：当权。

⑤徒役：服劳役的人。

⑥穷：走投无路。

【译文】

孔子迁移到蔡国的第三年，吴国出兵攻打陈国。楚国出兵援助陈国，军队就在城父驻扎。楚王听说孔子就居住在陈国和蔡国之间，于是派人前去请孔子。当孔子准备前去接受礼聘时，陈国、蔡国的大夫得知了这消息，他们商量说：“孔子可是一位难得的贤人，他对任何一个国家的批评都能切中该国的要害。如今他居住在我们陈国和蔡国之间，大夫们的做法都不符合他的意思。现如今楚国前来聘请孔子，而孔子被楚国任用，那么陈、蔡两国的大夫们就处于危险之中了。”于是这两个国家就命一些服劳役的人将孔子围困于野外。孔子和弟子只能在这个固定的范围内活动，他们的粮食吃完了，弟子们都饿得躺在了地上，根本站不起来。然而，孔子还一直为他们讲学，朗诵诗歌，弹琴唱歌。子路非常生气地对孔子说：“难道君子也有走投无路的时候吗？”孔子说：“君子在面对困境的时候，能够坚守节操；而人小在遇到困境的时候，什么事情都能做出来的。”

陈涉世家

一

【原文】

陈胜者，阳城①人也，字涉。吴广者，阳夏②人也，字叔。陈涉少时，尝与人佣③耕，辍耕之④垄上，怅恨久之，曰：“苟富贵，无相忘。”庸者⑤笑而应曰：“若为庸耕，何富贵也？”陈涉太息曰：“嗟乎，燕雀安知鸿鹄⑥之志哉！”

【注释】

①阳城：现河南登封东南。

②阳夏（jiǎ）：今河南太康县。

③佣：被雇佣。

④之：动词，去、往。

⑤庸者：与陈涉一同受雇佣的人。

⑥鸿鹄：古时指一种鸟，若凤凰。

【译文】

陈胜是阳城人，字涉。吴广是阳夏人，字叔。陈涉年少的时候，与别人共同被雇佣为他人耕地，有一天陈涉放下手中的工作在田埂上休息，失望地长叹了很久，说："假如有一天谁富有了，都不要忘记大家啊。"与他一同耕地的人们笑着说："你就是一个被雇佣来耕地的人，怎么可能有富贵的一天呢？"陈涉长长地叹了一口气说："唉，燕雀怎么可能知道鸿鹄的志向呢？"

二

【原文】

二世元年七月，发闾左適戍[①]渔阳，九百人屯大泽乡。陈胜、吴广皆次当行[②]，为屯长[③]。会天大雨，道不通，度已失期。失期，法皆斩。陈胜、吴广乃谋曰："今亡亦死，举大计[④]亦死，等死，死国[⑤]可乎？"陈胜曰："天下苦秦久矣。吾闻二世少子也，不当立，当立者乃公子扶苏。扶苏以数谏[⑥]故，上[⑦]使外将兵。今或闻无罪，二世杀之。百姓多闻其贤，未知其死也。项燕[⑧]为楚将，数有功，爱士卒，楚人怜之。或以为死，或以为亡。今诚[⑨]以吾众诈自称公子扶苏、项燕，为天下唱[⑩]，宜[⑪]多应者。"吴广以为然。乃行卜。卜者知其指意，曰："足下[⑫]事皆成，有功。然足下卜之鬼[⑬]乎！"陈胜、吴广喜，念[⑭]鬼，曰："此教我先威众耳。"乃丹[⑮]书帛曰"陈胜王"，置人所罾[⑯]鱼腹中。卒买鱼烹食，得鱼腹中书，固以[⑰]怪之矣。又间令[⑱]吴广之次所[⑲]旁丛祠中，夜篝火，狐鸣呼曰"大楚兴，陈胜王"。卒皆夜惊恐。旦日[20]，卒中往往语[21]，皆指目陈胜。

【注释】

①闾左：指贫民。適（zhé）戍：发配去守边。適，通“谪”。

②当行：当在征发之列。

③屯长：戍守队伍的小头目。

④举大计：发动大事，指起义。

⑤死国：为国家而死。

⑥数谏：屡次劝诫。

⑦上：臣下对皇帝的尊称。

⑧项燕：战国末年楚国著名将领，项梁的父亲。

⑨诚：果真。

⑩唱：通“倡”，首发。

⑪宜：应当。

⑫足下：是古人对他人的敬称。

⑬卜之鬼：就是“卜之于鬼”，“于”字省略。

⑭念：考虑，思索。

⑮丹：朱砂。

⑯罾（zēng）：渔网。

⑰以：通“已”，已经。

⑱间令：暗使。

⑲次所：行军时临时驻扎的地方。

⑳旦日：明天，第二天。

㉑往往语：到处谈论。

【译文】

秦二世元年（公元前209年）七月，朝廷征调贫民前去渔阳驻守，一同前去的九百人，在途中驻扎在了大泽乡。陈胜、吴广也在这支队伍里，还在队伍里担任小头领。恰巧碰上大雨天气，道路被堵塞，以致他们无法在规定的时间到达渔阳。耽误期限，根据秦法是要被砍头的。于是陈胜、吴广商量着说：“如果我们现在逃跑，被抓住了是死；如果我们现在反抗，失败了，也是个死。怎么都是个死，为什么不能为国事而死呢？”陈胜说：“老百姓被秦朝的暴政统治很长时间了。我听说现在执掌朝政的秦二世是秦始皇的小儿子，皇位本来不该由他继承，而应是长子扶苏来继承。可是由于扶苏曾经多次劝说皇帝，皇帝有点不喜欢他，于是派他在外守边。我听说他根本没犯什么罪，却被秦二世杀掉了。老百姓们都听说他很贤明，对他的死却一无所知。项燕是楚国的一位名将，曾立下了很多的战功，而且还很关爱士兵，楚国的人们都很尊敬、爱戴他。如今有些人认为他死了，有的人认为他逃了。如果我们假称我们的人是公子扶苏和项燕的队伍，号召老百姓造反，应该会有很多人响应吧。”吴广觉得陈胜说得对。于是他们便去占卜。占卜的人猜到了他们的想法，便说：“你们两人都是能成大事的人，而且会有很好的功业。然而你们为什么不去问问鬼神呢？”陈胜、吴广听了非常高兴，又考虑卜鬼的事情，说：“这位占卜先生是教我们通过鬼神来让群众信任我们。”于是便用丹砂在绸带上写下了“陈胜王”三个字，然后悄悄放到了鱼肚里。当士兵们把鱼买回来准备烹饪时，发现了鱼肚子里的红字条，他们觉得很奇怪；陈胜又让吴广在驻地不远处的丛林中的神庙中，在半夜的时候提着灯笼，伪装成狐狸的叫声大喊：“大楚即将兴盛，陈胜是王。”这使士兵门感到恐慌，整夜都无法入睡。第二天，士兵们开始不停地议论，而且还指指点点地斜着眼睛偷看陈胜。

三

【原文】

陈胜王凡[①]六月。已为王，王陈[②]。其故人尝与庸耕者闻之，之陈，扣宫门曰："吾欲见涉。"宫门令[3]欲缚之。自辩数[4]，乃置，不肯为通。陈王出，遮道而呼涉。陈王闻之，乃召见，载与俱归。入宫，见殿屋帷帐，客曰："夥颐[5]！涉之为王沈沈[6]者！"楚人谓多为夥，故天下传之，夥涉为王，由陈涉始。客出入愈益发舒[7]，言陈王故情。或说陈王曰："客愚无知，颛妄言[8]，轻威。"陈王斩之。诸陈王故人皆自引去，由是无亲陈王者。陈王以朱房为中正[9]，胡武为司过[10]，主司群臣。诸将徇地，至，令之不是者，系[11]而罪之，以苛察为忠。其所不善者，弗下吏[12]，辄自治之。陈王信用之。诸将以其故不亲附，此其所以败也。

【注释】

①王：称王。凡：总共。

②王陈：在陈地做王。

③宫门令：守卫宫门的官。

④辩数：反复解说。

⑤夥（huǒ）颐：意思是"真多呀"。颐：语气助词，相当于"呀"。

⑥沈沈：形容宫室高大深邃，富丽堂皇。

⑦发舒：放肆，随便。

⑧颛（zhuān）：通"专"，妄言：胡说。

⑨中正：官名，主管考核官吏。

⑩司过：官名相当于监察御史。

⑪系：拘捕。

⑫下吏：交给执法官吏。

【译文】

陈胜坐上王位总共也就六个月。他称王之后，在陈县建都。先前和陈涉一起被雇佣耕地的老朋友听说他称王的消息后，便来到了陈县，扣着宫门喊着说："我要去找陈涉。"把守宫门的人将他绑了起来，他费了很多口舌，才让守门的人相信他是陈涉的朋友，为他松绑，但是守门的人没有答应为他通报。于是他只好等待，看到陈涉出门的时候，他大声呼喊陈涉的名字，被陈涉听到之后，才见到陈涉，并与他同乘车子回到宫里。进宫之后，他看到宫殿的房屋、帷幕帐帘后，说：“真多呀！陈涉你的宫殿可真阔大啊！”在楚国人们把“多”用“夥”来形容，因此天下流传的“夥涉为王”的俗话，就是从陈涉那里开始的。慢慢地，这个人不管是在宫里还是宫外说话越来越放肆，还经常讲述一些陈涉过去的事情，于是有人就对陈涉说：“您的那位朋友很愚昧，常常胡说八道，这有损您的威信。”于是陈涉就下令将他杀死。从这以后，陈涉的那些老朋友们都逐渐离他而去，没人敢再亲近他了。后来，陈涉将朱房任命为中正官，胡武为司过，专门负责检查臣僚们的过失。当将领外出打仗回来，只要是不听从朱房、胡武的命令，就会被抓来问罪，他们把查找官僚们的过失当作是对陈涉的忠心。只要是他们不喜欢的人，有一丁点的过错，他们不是交给负责司法的处理，而是亲自惩治，可是陈涉却很信任他们。久而久之，将领们也开始慢慢地疏远陈涉，这些就是致使陈涉失败的原因。

四

【原文】

陈胜虽已死，其所置遣侯王将相竟亡秦，由涉首事也。高祖时为陈涉置守冢三十家砀，至今血食[①]。

【注释】

①血食：享受祭祀。古时祭祀要宰杀牲畜作为祭品，所以叫“血食”。

【译文】

陈胜虽然去世，但是他封立派遣的那些王侯将相最终灭掉了秦王朝，而这些都是陈涉首发起义的结果。汉高祖时，专门在砀县安排了三十户人家来看守陈涉的坟墓，一直到汉武帝的时候仍按时杀牲来祭祀他。

外戚世家

一

【原文】

自古受命帝王及继体①守文之君，非独内德茂②也，盖亦有外戚之助焉。夏之兴也以涂山，而桀之放③也以末喜。殷之兴也以有娀④，纣之杀也嬖⑤妲己。周之兴也以姜原⑥及大任，而幽王之禽⑦也淫于褒姒。故《易》基《乾》《坤》，《诗》始《关雎》，《书》美釐降，《春秋》讥不亲迎。夫妇之际，人道⑧之大伦也。礼之用，唯婚姻为兢兢⑨。夫乐调⑩而四时和，阴阳之变，万物之统也。可不慎与？人能弘道，无如命何。甚哉，妃匹之爱，君不能得之于臣，父不能得之于子，况卑下乎！即欢合矣，或不能成子姓；能成子姓矣，或不能要其终：岂非命也哉？孔子罕称命，盖难言之也。非通幽明之变，恶能识乎性命哉？

【注释】

①继体：继位。

②茂：美好。

③放：放逐。

④娀（sōng）：远古氏族名。

⑤嬖（bì）：宠爱。

⑥姜原：姜嫄，周始祖后稷之母。

⑦禽：同“擒”。

⑧人道：社会的伦理等级关系。

⑨兢兢：小心谨慎的样子。

⑩调：和谐。

【译文】

从古至今，受天命的开国皇帝和正统继承王位的国君，不单单是有美好的内在品德，也多数是因为有外戚的帮助。夏的兴起是在涂山氏之女的帮助下实现的，而夏桀被放逐是因为末喜。殷代的兴起是因为有娀氏女子的帮助，而商纣王最终被杀掉是由于过于宠幸妲己。周代的兴起是因为有姜原和太任，然而幽王被擒拿是因为他与褒姒淫乱。因此《易经》是以《乾》《坤》为基本的，《诗经》是以《关雎》开始的，《书经》夸赞尧能将女儿下嫁给舜，《春秋》讽刺迎娶妻子而不亲自去接。夫妇之间的关系，是人道中最基本的关系。在关于礼的运用上，婚姻是最为谨慎的。乐声和谐就能使四季风调雨顺，阴阳变化乃是世间万物生长变化的根本，怎么能够不谨慎呢？人可以发扬伦理道德，却改变不了天命。的确如此啊，夫妻之间的感情，国君无法从大臣那儿得知，父亲也不可能从儿子那里了解到，况且是地位卑微的人呢？夫妇欢好之后，有些却不能生育子孙；有的能生育子孙，却又没有得到好的归宿。难道这不是天命吗？孔子不谈论天命，很可能是因为难以说清楚吧。弄不懂阴阳的变化，又如何能懂得人性和天命呢？

二

【原文】

太史公曰：秦以前尚略矣，其详靡得而记焉。汉兴，吕娥姁为高祖正后，男为太子。及晚节色衰爱弛，而戚夫人有宠，其子如意几代[1]太子者数矣。及高祖崩，吕后夷戚氏，诛赵王，而高祖后宫唯独无宠疏远者得无恙[2]。

【注释】

①代：取代，代替。

②恙：没事。

【译文】

太史公说：秦之前的事情都很简略，都没有详细的记载。汉朝建立以来，吕娥姁是汉高祖的皇后，儿子被立为太子。到了晚年的时候，她的容颜逐渐衰老，就不再被宠幸。而戚夫人被宠爱，有好几次，他的儿子如意差点取代太子的位置。等到高祖去世后，吕后就灭掉戚氏，杀死了赵王如意，而高祖的后宫中只有那些不宠幸和被疏远的人平安无事。

三

【原文】

吕后长女为宣平侯张敖妻，敖女为孝惠皇后。吕太后以重[1]亲故，欲其生子万方，终无子，诈[2]取后宫人子为子。及孝惠帝崩，天下初定未久，继嗣不明。于是贵外家，王诸吕以为辅，而以吕禄女为少帝后，欲连固根本牢甚，然无益也。

【注释】

①重：双重的意思。

②诈：欺骗。

【译文】

吕后的长女是宣平侯张敖的妻子，张敖的女儿是孝惠皇帝的皇后。因为是亲上加亲，吕太后就想尽办法让她生个儿子，但是最终都没有生下儿子，于是就从后宫别的美人那里抱来一个男孩谎称是她的儿子。等到孝惠皇帝死后，天下没有安定几天，由于皇位继承人的事还没有确定，于是抬高外戚的地位，让吕氏兄弟来辅佐，而且让吕禄的女儿做小皇帝的皇后，这是想让皇位的根基更加牢固啊，然而并没有起到多大的用处。

四

【原文】

高后崩，合葬长陵。禄、产等惧诛，谋[①]作乱。大臣征之，天诱其统，卒灭吕氏。唯独置孝惠皇后居北宫。迎立代王，是为孝文帝，奉汉宗庙。此岂非天邪？非天命孰能当之？

【注释】

①谋：谋划。

【译文】

吕后死后，与高祖一起合葬在了长陵。吕禄和吕产等人害怕被杀，于是就谋划作乱。大臣征讨他们，在上天的护佑下，最终将吕氏一举歼灭。只有孝惠皇后被留在了北宫。大臣们将代王迎来即位，也就是孝文帝，让他来供奉汉朝宗庙。这难道就是天命吗？不是天命谁又能担任这样的使命呢？

五

【原文】

及诸侯畔秦，魏豹立为魏王，而魏媪内其女于魏宫。媪之许负所相[①]，相薄姬，云当生天子。是时项羽方与汉王相距荥阳，天下未有所定。豹初与汉击楚，及闻许负言，心独喜，因背[②]汉而畔，中立，更与楚连和。汉使曹参等击虏魏王豹，以其国为郡，而薄姬输织室。豹已死，汉王入织室，见薄姬有色，诏内后宫，岁余不得幸。始姬少时，与管夫人、赵子儿相爱[3]，约曰："先贵无相忘。"已而管夫人、赵子儿先幸汉王。汉王坐河南宫成皋台，此两美人相与笑薄姬初时约。汉王闻之，问其故，两人具以实告汉王。汉王心惨然，怜薄姬，是日召而幸之。薄姬曰："昨暮夜妾梦苍龙据吾腹。"高帝曰："此贵征也，吾为女遂成之。"一幸生男，是为代王。其后薄姬希见高祖。

【注释】

①相：面相。

②背：背叛的意思。

③相爱：关系友好。

【译文】

在诸侯反抗秦朝时，魏豹自立为魏王，魏媪将他的女儿送到魏王宫中。魏媪去许负那儿看面相，请他给薄姬看看，许负说她将来应该生一位天子。那个时候，项羽和汉王刘邦正相持在荥阳，谁能一统天下还不一定。刚开始魏豹与汉王一起攻打楚国，当听到许负的话之后，心里非常高兴，就背叛汉王，首先是保持中立，紧接着与楚王联合。汉王派出曹参等人进攻并活捉了魏豹，将其拥有的土地改为郡，将薄姬送到了织锦室。魏王豹去世后，一次汉王来到织锦室，看到貌美的薄姬，就下令把她收入后宫，但薄姬一年多都没有被宠幸。薄姬年少的时候，曾与管夫人、赵子儿相好，三人还约定说："谁要是先富贵了，不能将其余两人忘记了。"之后，管夫人、赵子儿都得到了汉王的宠爱。一次，汉王在河南宫的成皋台上坐着，这两位说起当初与薄姬的约定而相互逗笑。汉王听了之后，就问她们缘由，于是两人就将实情告诉了汉王。汉王感到有些伤感，觉得薄姬很可怜，于是就召见了她，并与她同宿。薄姬说："昨晚我梦到苍龙盘在我腹部。"高祖说："这可是富贵的征兆，让我来成全你吧。"他们一次同宿就生下了男孩，也就是代王。从此之后薄姬就很少能见到高祖了。

六

【原文】

高祖崩①，诸御幸姬戚夫人之属，吕太后怒，皆幽之，不得出宫。而薄姬以希见故，得出，从子之代，为代王太后。太后弟薄昭从如代。

代王立十七年，高后崩。大臣议立后，疾外家吕氏强，皆称薄氏仁善，故迎代王，立为孝文皇帝，而太后改号曰皇太后，弟薄昭封为轵侯。

【注释】

①崩：古代帝王去世称为崩。

【译文】

高祖死后，那些曾被高祖宠幸的妃子，像戚夫人等，吕后怨恨她们，就将她们都关了起来，不允许出宫。而薄姬因为很少见高祖的原因，得以出宫，跟着她的儿子去了代国，成了代王太后。太后的弟弟薄昭也跟着到了代国。

代王在位的第十七年，吕后去世了。大臣们就商量立新君的事情，他们对吕氏外戚的强大势力有很大不满，都说薄氏宽厚仁爱，因此迎代王回来，立他为孝文帝，薄太后改称为皇太后，她弟弟也被封为轵侯。

七

【原文】

薄太后母亦前死，葬栎阳北。于是乃追尊薄父为灵文侯，会稽郡置园邑三百家，长丞已下使奉守冢，寝庙上食祠如法。而栎阳北亦置[1]灵文侯夫人园，如灵文侯园仪。薄太后以为母家魏王后，早失父母，其奉薄太后诸魏有力者，于是召复[2]魏氏，赏赐各以亲疏受之。薄氏侯者凡一人。

【注释】

①置：设置。

②复：恢复。

【译文】

薄太后的母亲在这之前已经死了，埋葬在了栎阳的北边。于是追封薄太后的父亲为灵文侯，在会稽郡设置了三百户的园邑，长丞之下的人被派去看守陵墓，宗庙的供奉祭品以及祀典也都根据规定的礼仪设置。而且还在栎阳的北边设置了灵文侯夫人陵园，一切礼仪与灵文侯陵园的一样。薄太后认为母亲是魏王的后代，父母又早早去世，魏氏家族中的人侍奉薄太后很用心，于是就恢复了魏氏家族的地位，根据亲疏远近都进行了赏赐。薄氏家族中被封侯的只有一人。

苏秦列传

一

【原文】

文侯曰："子言则可，然吾国小，西迫强赵，南近齐。齐、赵，强国也。子必欲合以安燕，寡人请以国从。"

于是资[1]苏秦车马金帛以至赵。而奉阳君已死，即因[2]说赵肃侯曰："天下卿相人臣及布衣之士，皆高[3]贤君之行义，皆愿奉教陈忠于前之日久矣。虽然，奉阳君妒而君不任事，是以宾客游士莫敢自尽于前者。今奉阳君捐馆舍，君乃今复与士民相亲也，臣故敢进其愚虑。

“窃[4]为君计者，莫若安民无事，且无庸[5]有事于民也。安民之本，在于择交，择交而得则民安，择交而不得则民终身不安。请言外患：齐秦为两敌而民不得安，倚秦攻齐而民不得安，倚齐攻秦而民不得安。故夫谋人之主，伐人之国，常苦出辞断绝人之交也。愿君慎勿出于口。请别白黑所以异，阴阳而已矣。君诚能听臣，燕必致旃[6]裘狗马之地，齐必致鱼盐之海，楚必致橘柚之园，韩、魏、中山皆可使致汤沐之奉，而贵戚父兄皆可以受封侯。夫割地包利，五伯之所以覆军禽将而求也；封侯贵戚，汤武之所以放弑而争也。今君高拱而两有之，此臣之所以为君愿也。

“今大王与[7]秦，则秦必弱[8]韩、魏；与齐，则齐必弱楚、魏。魏弱则割河外，韩弱则效[9]宜阳，宜阳效则上郡绝，河外割则道不通，楚弱则无援。此三策者，不可不孰计也。

【注释】

①资：给予。

②因：趁着。

③高：仰慕，推崇。

④窃：暗中，私下。

⑤无庸：不须，不必。

⑥旃（zhān）：同“毡”。

⑦与：亲附，友好。

⑧弱：使……弱。

⑨效：献纳。

【译文】

燕文侯说："你说得不错，只是我的国家非常小，西面靠近强大的赵国，南面有齐国相邻，齐国和赵国可都是非常强大的国家呀。你一定要想办法用合纵的方法来确保燕国平安无事，我愿意以整个国家相从。"

于是燕文侯便给苏秦车马财物让他前往赵国。那个时候奉阳君已经去世，于是苏秦便趁机劝赵肃侯说："天下间的臣子和布衣百姓，都非常仰慕您这个贤明君主的仁义，早就想要听从您的教化并向您表忠心了。即使这样，但奉阳君善妒而您又不管理任何政事，所以宾客和游士都不敢在您面前尽情地说出心里的想法。而今奉阳君已经去世，您才得以和百姓士人亲近，我也才敢对您说出自己的一些想法。

"我私下为您考虑过，没有什么事比百姓安定国家太平，并且不要让百姓受到国家战乱影响更重要的了。安定百姓的根本，就在于选择邦交，只有得当地选择邦交才能够让百姓生活安定，选择邦交不得当就会使百姓终生都不得安宁。请允许我说一下赵国的外患：如果和齐国、秦国敌对那么百姓就不得安宁，如果依仗着秦国去攻打齐国而百姓也不会安宁，依仗着齐国去攻打秦国百姓还是不会安宁。所以算计别的国家，征讨别的国家，会经常苦于因为所谓的公开声明和其他国家断绝外交关系。所以希望您一定要慎重考虑，不要把这话随意说出口。请让我来为您分析一下这种白黑、阴阳之间的利害关系。您如果能够诚心诚意地听我说话，那么燕国肯定会献出盛产毡裘狗马的土地，齐国也一定会让出盛产鱼盐的海湾，楚国也一定会让出盛产橘子柚子的园子，韩国、魏国、中山国则都可以让出能够汤沐的费用，而您的亲戚父兄都能够封侯。得到割地获得利益，则是春秋五国之所以冒着全军覆没的危险而想要求得的目标；让自己的亲戚受封，这也是汤武皇帝之所以冒着弑杀罪名而争夺的原因。如今君主无须争斗便能够拥有这两者，这也是臣希望您那样做的原因了。

“如果您和秦国交好，那么秦国必定会去削弱韩国和魏国的力量；如果和齐国交好，那么齐国必定去削弱楚国和魏国。魏国被削弱了肯定会割河外等地，韩国被削弱了又会献出宜阳，宜阳献上之后，上郡也会陷入险境，河外割让后交通就不会通畅，楚国削弱后您就没有外援了。这三个策略，不可以不仔细考虑啊！

二

【原文】

“夫秦下轵道，则南阳危；劫韩包周，则赵氏自操兵；据卫取卷，则齐必入朝秦。秦欲已得乎山东，则必举兵而响赵矣。秦甲渡河逾漳，据番吾，则兵必战于邯郸之下矣。此臣之所为君患也。

“当今之时，山东之建国莫强于赵。赵地方二千余里，带甲数十万，车千乘，骑万匹，粟支数年。西有常山，南有河漳，东有清河，北有燕国。燕固弱国，不足畏也。秦之所害于天下者莫如赵，然而秦不敢举兵伐赵者，何也？畏韩、魏之议①其后也。然则韩、魏，赵之南蔽也。秦之攻韩、魏也，无有名山大川之限，稍蚕食之，傅国都而止。韩、魏不能支秦，必入臣于秦。秦无韩、魏之规，则祸必中于赵矣。此臣之所为君患也。

【注释】

①议：计算，暗算。

【译文】

“秦国攻打下轵道，那么南阳就有危险了；秦国要劫持韩国，包围周都洛阳，那么赵国就会拿起武器保护自己；如果卫地被秦国占领，并拿下了卷城，那么齐国肯定会成为秦国的附属。秦国的欲念已经在崤山以东地区实现了，那么他肯定再次发起进攻而包围赵国。秦国士兵渡过黄河，穿过漳水，占据番吾，那么在邯郸城下秦国和赵国的军队会有一战。这正是臣为您所担忧的啊。

“而当下这个时候，崤山以东所建立的国家里并没有比赵国更加强大的。赵国占地两千多里，士兵武装有几十万，上千的车辆，万匹骏马，粮草可以用上好几年。西边靠着常山，南边临着漳河，东边靠着清河，北边又有燕国。燕国，原本就是一个弱小的国家，不足为惧。秦国最害怕的就是能够对天下造成威胁的赵国了，可是秦国却不敢贸然率军攻打赵国，这又是为什么呢？是因为担心韩国和魏国会在背后暗算他。既然这样，韩国和魏国也能够称得上是赵国在南面的屏障了。秦国如果要攻打韩国和魏国，中间没有名山大川作为屏障，那么就像蚕吃桑叶一样慢慢地把这两个国家吞噬掉，直到到达两国的国都为止。韩国和魏国都无法抵抗秦国，就肯定会成为秦国的附属。秦国没有了韩国、魏国的羁绊，祸患就肯定会殃及赵国了。这就是臣为您担忧的啊！

三

【原文】

“臣闻尧无三夫[①]之分，舜无咫尺之地，以有天下；禹无百人之聚，以王[②]诸侯；汤武之士不过三千，车不过三百乘，卒不过三万，立为天子：诚得其道也。是故明主外料其敌之强弱，内度其士卒贤不肖，不待两军相当而胜败存亡之机固已形于胸中矣，岂掩于众人之言而以冥冥决事哉！

“臣窃以天下之地图案[3]之，诸侯之地五倍于秦，料度诸侯之卒十倍于秦，六国为一，并力西乡[4]而攻秦，秦必破矣。今西面而事之，见臣于秦。夫破人之与破于人也，臣人之与臣于人也，岂可同日而论哉！

“夫衡人[5]者，皆欲割诸侯之地以予秦。秦成，则高台榭[6]，美宫室，听竽[7]瑟之音，前有楼阙[8]轩辕，后有长姣[9]美人，国被秦患而不与其忧。是故夫衡人日夜务以秦权恐愒[10]诸侯以求割地，故愿大王孰计之也。”

【注释】

①夫：古代井田，一夫田百亩，故称百亩为夫。

②王：成就王业。

③案：通“按”，考察。

④乡：同“向”。

⑤衡人：指为秦国效力的游说辩士。

⑥榭：建在高土台上的敞屋。

⑦竽：与笙相似的乐器。

⑧阙：古代宫殿、祠庙和陵墓前的高大建筑物。

⑨姣：美好。

⑩恐愒：恐吓。

【译文】

“我听说当时尧帝都没有得到过三百亩的赏赐，舜帝更是没有得到一尺的封地，可最后却得到了整个天下；禹帝当时能够聚集的人数不到一百，最后却成了诸侯的王者；汤武皇帝手下还不到三千人，车马没有三百辆，士兵不到三万人，最后却成了天子：是因为他们的确掌握了夺取天下的策略。所以说贤明的君主既能够考虑到外患敌国的强弱，也能够估计到士兵的贤能优劣，还没有等到两军交战就将胜败存亡的关键了然于胸了，怎么可能会被众人的言论所蒙蔽而糊里糊涂地决断大事呢！

“我私下里曾经考察过天下的地图，诸侯间的封地加起来是秦国的五倍，估计诸侯间的士兵加起来应该会是秦国的十倍，如果六个国家合为一体，合力向西攻打秦国，秦国必定会被攻下。而今却向西侍奉秦国，并且甘愿成为秦国的附属。打败他人和被他人打败，让他人成为附属以及自己成为他人的附属，这哪能同日而语呢！

“那些主张连横为秦国游说的人，都想要割诸侯国的封地来给秦国。秦国的霸业成功后，他们就会建筑高大的楼台亭榭，建造华美的宫室，欣赏竽瑟的演奏，前面有楼台亭榭，后面有娇俏美人，至于国家被秦国侵扰，他们就不去担忧了。这就是那些主张连横的人每日每夜凭借着秦国的势力而恐吓诸侯割地的原因所在，所以希望大王能够深思熟虑啊！”

魏公子列传

一

【原文】

魏公子无忌者，魏昭王少子而魏安釐王异母弟也。昭王薨，安釐王即位，封公子为信陵君。是时范雎①亡魏相秦，以怨魏齐故，秦兵围大梁，破魏华阳下军，走芒卯②。魏王及公子患之。

【注释】

①范雎：原为魏国人，后来逃到秦国，改名叫张禄。

②走：赶跑的意思。芒卯：魏将。

【译文】

魏公子名为无忌，他是魏昭王最小的儿子，魏安釐王同父异母的弟弟。昭王死后，安釐王继承王位，封魏公子为信陵君。那个时候正好从魏国逃到秦国的范雎在秦国任秦相，由于心中怨恨魏相魏齐屈打自己几乎致死，于是就派秦兵攻打大梁，打败了魏国驻扎在华阳的军队，魏将芒卯逃跑了。这种形势使魏王和魏公子感到十分焦虑。

二

【原文】

公子为人仁而下士，士无贤不肖皆谦而礼交之，不敢以其富贵骄士。士以此方数千里争往归之，致食客三千人。当是时，诸侯以公子贤，多客，不敢加兵谋魏十余年①。

【注释】

①“不敢”一句：此事不实。自魏安釐王立，秦无年不犯，赵亦曾攻魏。

【译文】

魏公子为人宽厚友爱而且礼贤下士，无论士人是有才干还是无能，他都能做到有礼有节地与他们相处，从不觉得自己地位高贵而轻慢士人。因此方圆几千里的士子都前来投奔他，招致食客三千多人。当时，就是因为魏公子贤明，门下宾客又多，连续十几年各国诸侯都不敢动兵侵犯魏国。

三

【原文】

公子与魏王博①，而北境传举烽，言“赵寇至，且入界”。魏王释博，欲召大臣谋。公子止王曰：“赵王田猎耳，非为寇也。”复博如故。王恐，心不在博。居顷，复从北方来传言曰："赵王猎耳，非为寇也。"魏王大惊，曰："公子何以知之？"公子曰："臣之客有能深得赵王阴事者，赵王所为，客辄以报臣，臣以此知之。"是后魏王畏公子之贤能，不敢任公子以国政。

【注释】

①博：下棋。

【译文】

有一次，魏公子正与魏王下棋，这个时候北部边境传来了警报，说"赵国进攻我国，敌军即将就进入我国的边境了"。魏王放下手中的棋子，立即就要召集大臣进行商议。魏公子劝阻魏王说："那是赵王在打猎，并非要侵犯我国。"他还是继续下棋。但是魏王依然非常担心，根本没有心思下棋。没过多久，北边又传来消息说："赵王是前来打猎的，并不是要侵犯我国。"魏王听了这个消息后感到很惊讶，问魏公子："你是如何知道的呢？"魏公子说："我的宾客中有人知道赵王的秘密，他只要有什么行动，消息就会立刻报告到我这里，所以我知道他不是来侵犯我国的。"从这件事情之后，魏王就很害怕魏公子，觉得他才能出色，不再敢把国家大事交给魏公子处理。

四

【原文】

魏有隐士曰侯嬴，年七十，家贫，为大梁夷门监者。公子闻之，往请，欲厚遗之。不肯受，曰："臣修身洁行①数十年，终②不以监门困故而受公子财。"公子于是乃置酒大会宾客。坐定，公子从车骑，虚左③，自迎夷门侯生。侯生摄④敝衣冠，直上载公子上坐，不让，欲以观公子。公子执辔愈恭。侯生又谓公子曰："臣有客在市屠中，愿枉[5]车骑过之。”公子引车入市，侯生下见其客朱亥，俾倪[6]，故久立与其客语，微察公子，公子颜色愈和。当是时，魏将相宗室宾客满堂，待公子举酒。市人皆观公子执辔，从骑皆窃骂侯生。侯生视公子色终不变，乃谢[7]客就车。至家，公子引侯生坐上坐，遍赞宾客，宾客皆惊。酒酣，公子起，为寿侯生前。侯生因谓公子曰：“今日嬴之为公子亦足矣。嬴乃夷门抱关[8]者也，而公子亲枉车骑，自迎嬴于众人广坐之中，不宜有所过[9]，今公子故过之。然嬴欲就公子之名，故久立公子车骑市中，过客以观公子，公子愈恭。市人皆以嬴为小人，而以公子为长者，能下士也。”于是罢酒，侯生遂为上客。

【注释】

①洁行：指保持自己的高洁品格。

②终：指无论如何。

③虚左：古代以左为尊，意思是左边的位置空着。

④摄：整理。

⑤枉：绕远。

⑥俾倪：用余光斜看人。

⑦谢：辞别。

⑧抱关：守门。

⑨过：过分。

【译文】

魏国的一个隐士名叫侯嬴，七十岁的高龄，家境十分贫穷，在大梁城东看门。魏公子听说这个人之后，就让人前去拜访，还带去了一份厚礼。然而侯嬴却不接受，说：“这几十年来我都保持着清廉的品德，绝不能因为我贫穷而接受你的财物。”于是魏公子就举办了一个盛大的宴席。当宾客都来到坐好后，魏公子便乘坐马车与随从去夷门接侯嬴，而且空出左边的位置。侯嬴整理好自己的衣服之后，就上车做到了空出的左边位置，没有任何谦让的意思，想乘机看看魏公子会是什么态度。然而魏公子抓着马缰绳对他更是敬重。侯嬴坐好后说："我有一个朋友在集市的肉店，让车子绕个弯带我过去拜访一下。"魏公子驾车来到了集市，侯嬴下车去拜访朋友朱亥，他们在很长时间里故意不停地说话，侯嬴还斜着眼睛偷看魏公子。魏公子没有丝毫的不高兴，而是比刚刚还平静。此时，在魏公子家中的魏国将军、宰相等贵宾都在等着公子回来开宴。集市上人们看到魏公子手握马车缰绳都现出惊讶的表情，魏公子的随从们也开始偷偷地骂侯嬴。侯嬴看到公子的态度一直没有变化，才与朋友告别，回到车上。来到魏公子家中后，公子请侯嬴坐上座，并把所有的宾客向侯嬴介绍了一遍，对此宾客们都感到很是惊讶。当宾客饮酒正酣的时候，魏公子站起来，来到侯嬴面前向他敬酒。这时候侯嬴说："今天我为难公子了，而我只不过是在夷门的看门人，可是公子能屈尊驾车，陪我去拜访朋友，把我接到公子家中，那些地方本来不应该是公子去的，但是公子居然去了。可我这也是为了公子的好名声，才有意让公子在集市等我那么久，我是要借拜访朋友这个机会来观察您，可是公子不但没有发火反而更加谦逊。这样集市上的人们都会骂我是小人，而觉得公子您是一位厚道礼贤之士。"这次宴会结束后，侯嬴就成了魏公子的贵宾。

五

【原文】

侯生谓公子曰："臣所过屠者朱亥，此子贤者，世莫能知，故隐屠间耳。"公子往数请之，朱亥故不复谢[1]，公子怪之。

【注释】

①不复谢：不回应。

【译文】

侯嬴对魏公子说："前几天我去拜访的那位屠夫朱亥，是个贤德之人，是人们对他不了解，因此他才隐居在屠夫之中。"魏公子听完之后，就前去拜访过很多次，可是朱亥有意不回拜答谢，让魏公子觉得很是奇怪。

六

【原文】

魏安釐王二十年，秦昭王已破赵长平军，又进兵围邯郸。公子姊为赵惠文王弟平原君夫人，数遗魏王及公子书，请救于魏。魏王使将军晋鄙将十万众救赵。秦王使使者告魏王曰："吾攻赵旦暮且下，而诸侯敢救者，已拔赵，必移兵先击之。"魏王恐，使人止晋鄙，留军壁邺[①]，名为救赵，实持两端以观望。平原君使者冠盖[②]相属于魏，让魏公子曰："胜所以自附为婚姻者，以公子之高义，为能急人之困。今邯郸旦暮降秦而魏救不至，安在公子能急人之困也！且公子纵轻胜，弃之降秦，独不怜公子姊邪？"公子患之，数请魏王，及宾客辩士说王万端。魏王畏秦，终不听公子。公子自度终不能得之于王，计不独生而令赵亡，乃请宾客，约[③]车骑百余乘，欲以客往赴秦军，与赵俱死。

【注释】

①邺：魏县名，现河北临漳县西。

②冠盖：冠冕，车盖。

③约：准备，具办。

【译文】

魏安釐王二十年（公元前256年），秦昭王在长平大破赵国，又包围了赵国的都城邯郸。赵惠文王弟弟平原君的夫人是魏公子的姐姐，平原君多次写信给魏王和魏公子，希望魏国能出兵相救。刚开始魏王让晋鄙将军领兵十万前去救赵。当秦昭王知道魏国准备救赵的消息后，就派使臣转告魏王说："我秦国马上就要攻占赵国了，如果哪个国家救援赵国，我攻下邯郸之后，一定调兵先攻打它。"魏王听了之后很是害怕，于是就派人前去阻拦晋鄙的军队，将军队驻扎在了邺城，名义上说是要救赵国，但实际上却是在观看战场动态。平原君派人不断地去魏国告急，他责备魏公子说："我当初之所以和你联姻结亲，就是觉得你这个人比较重义，能在一些关键时刻帮助他人脱离危难。现在邯郸处于危难之中，很快就不得不向秦国投降了，但是你魏国的救兵却迟迟不来，魏公子能帮助别人摆脱危难的表现在哪呢？再说，魏公子即便看不起我，抛弃我任我投降秦国，可是你就不怜惜你的姐姐吗？"魏公子听了这些话后，非常着急，多次请魏王出兵相救，同时也让他的宾客们想办法劝说魏王。可是魏王因为害怕秦国，一直都不答应出兵。魏公子认为说服魏王是不可能了，但又不能眼睁睁地看着赵国灭亡，于是召集了他所有的宾客，聚集了一百多辆战车，准备带领众人攻打秦军，与赵国共同面对生死。

吕不韦列传

一

【原文】

吕不韦者，阳翟大贾人[1]也。往来贩贱卖贵，家累[2]千金。

秦昭王四十年，太子死。其四十二年，以其次子安国君为太子。安国君有子二十余人。安国君有所甚爱姬，立以为正夫人，号曰华阳夫人。华阳夫人无子。安国君中男[3]名子楚，子楚母曰夏姬，毋[4]爱。子楚为秦质子[5]于赵。秦数攻赵，赵不甚礼[6]子楚。

【注释】

①贾人：商人。

②累：积聚。

③中男：次子。

④毋：就是无的意思。

⑤质子：人质。

⑥礼：以礼相待，在此是动词。

【译文】

吕不韦是韩国阳翟的一位大商人。经常往来各地，用低价买入商品，然后高价卖掉，家中积蓄了很多的财富。

秦昭王四十年（公元前267年），太子因病去世。秦昭王四十二年的时候，二儿子安国君被立为太子。安国君子嗣比较多，有二十多个儿子。他非常宠爱一个妃子，后来就将她立为了正室，被人们称为华阳夫人。可是华阳夫人没有生下儿子。安国君的次子名叫子楚，他的母亲名叫夏姬，没有得到安国君的宠爱，因此子楚被秦国送到了赵国去当人质。之后秦国曾多次出兵攻打赵国，所以赵国对子楚也没有以礼相待。

二

【原文】

子楚，秦诸庶孽孙[1]，质于诸侯，车乘进用[2]不饶，居处困，不得意。吕不韦贾邯郸，见而怜之，曰："此奇货可居。”乃往见子楚，说曰：“吾能大子之门。”子楚笑曰：“且自大君之门，而乃大吾门！”吕不韦曰：“子不知也，吾门待子门而大。”子楚心知所谓，乃引与坐，深语③。吕不韦曰：“秦王老矣，安国君得为太子。窃闻安国君爱幸华阳夫人，华阳夫人无子，能立適嗣④者，独华阳夫人耳。今子兄弟二十余人，子又居中，不甚见幸，久质诸侯。即⑤大王薨，安国君立为王，则子毋几⑥得与长子及诸子旦暮⑦在前者争为太子矣。”子楚曰：“然。为之奈何？”吕不韦曰：“子贫，客于此，非有以奉献于亲及结宾客也。不韦虽贫，请以千金为子西游，事安国君及华阳夫人，立子为適嗣。”子楚乃顿首曰：“必如君策，请得分秦国与君共之。”

【注释】

①庶孽孙：不是正妻生的，是姬妾生的子孙。

②进用：财用。进，通“赆”，指收入的钱财。

③深语：指推心置腹地深谈。

④適嗣：正妻所生的长子。適，通“嫡”。

⑤即：若是，假使。

⑥毋几：没有希望。

⑦旦暮：早晚。

【译文】

子楚是秦王庶出的子孙，被送到赵国做人质，因此他的马车和生活所用的钱财都不是很富裕，生活比较窘困，很不得意。吕不韦去邯郸做生意的时候，遇到了子楚，觉得他很可怜，心想：“这可是件奇货，值得收藏。”于是他就找到子楚说：“我可以让您的门庭光大。”子楚笑着说：“你还是先让自己的门庭光大，之后再来使我的门庭光大吧。”吕不韦说：“您不明白啊，要想光大我的门庭需要依靠您的门庭才可以啊。”

子楚明白了吕不韦的意思，于是就让他坐下，与他开始深谈。吕不韦说："如今秦王年事已高，安国君现在被立为太子。我还听说安国君最宠爱华阳夫人，可是华阳夫人没有子嗣，而能够为安国君选立太子的人只有华阳夫人。您看您的兄弟们有二十多个，而您又排在中间，还不被秦王宠爱，而且还长期在赵国当人质。秦王去世之后，安国君就会继承王位，到那个时候您就不可能与您那些长兄们去争夺太子的位置了。"子楚说："的确如此，可是我该怎么做呢？"吕不韦说："您并不富裕，还在赵国当人质，当然拿不出可以献给亲长的东西，也不可能结交到宾客。虽然我吕不韦并不是很富有，但是我愿意用千金去秦国向安国君和华阳夫人游说，想办法让他们把您立为太子。"子楚听了之后向吕不韦叩头说："如果您的计划真的可以实现，我愿意将秦国的土地与您共享。"

三

【原文】

吕不韦乃以五百金与子楚，为进用，结宾客；而复以五百金买奇物玩好，自奉而西游秦，求见华阳夫人姊，而皆以其物献华阳夫人。因言子楚贤智，结诸侯宾客遍天下，常曰"楚也以夫人为天[①]，日夜泣思太子及夫人"。夫人大喜。不韦因使其姊说夫人曰："吾闻之，以色事人者，色衰而爱弛。今夫人事太子，甚爱而无子，不以此时蚤[②]自结于诸子中贤孝者，举立以为適而子之，夫在则重尊，夫百岁之后，所子者为王，终不失势，此所谓一言而万世之利也。不以繁华[③]时树本，即色衰爱弛后，虽欲开一语，尚可得乎？今子楚贤，而自知中男也，次不得为適，其母又不得幸，自附夫人，夫人诚以此时拔以为適，夫人则竟世有宠于秦矣。"华阳夫人以为然，承太子闲，从容言子楚质于赵者绝贤，来往者皆称誉之。乃因涕泣曰："妾幸得充后宫，不幸无子，愿得子楚立以为適嗣，以托妾身。"安国君许之，乃与夫人刻玉符④，约以为適嗣。安国君及夫人因厚馈遗⑤子楚，而请吕不韦傅之，子楚以此名誉益盛于诸侯。

【注释】

①天：仰赖以为生存者，古称之为天。

②蚤：通"早"。

③繁华：喻人之盛年。

④玉符：古代朝廷的一种凭证。

⑤馈遗：赠送礼品、财物等。

【译文】

于是吕不韦就给了子楚五百金，当作他日常生活和结交宾客的费用，又用五百金购买了一些奇珍异宝，带着这些东西西行到了秦国。他先拜访了华阳夫人的姐姐，将带来的奇珍异宝交给华阳夫人的姐姐，让她转交给华阳夫人。还顺便说了一些子楚贤能的话，以及所结交的各国宾客，并且还说子楚常常对人们说"我子楚对华阳夫人的爱戴就像对老天爷一样，日夜思念太子和夫人"。华阳夫人听了之后非常开心。吕不韦又借机让华阳夫人姐姐劝说华阳夫人："凭借美貌侍奉他人，当年老色衰的时候，必定会失宠。如今夫人侍奉太子，被太子宠爱，但是却没有儿子，为何不趁早在太子中选出一个贤能且又孝顺的，将他认作儿子并立为继承人呢？这样的话，太子在世的时候，你拥有尊贵的地位，太子去世后，你所立的继承人即位后，你的地位、权势都不会失去，这就是所谓的一句话就可以得到万世的利益啊。不在自己美貌犹存的时候，为自己立下根基，当自己老了失宠的时候，你所说的话，还会有人听吗？如今子楚这个人不错，也知道自己位居中间，根据先后顺序继承王位是轮不到他的，而他的亲生母亲又不被宠爱，所以他愿意归附夫人。如果您能借此时机将他认作儿子，立他为继承人，那么您这辈子就可以一直受宠了。”华阳夫人听了，觉得有道理，于是就寻找机会，对安国君说了在赵国当人质的子楚，说子楚的为人很好，往来于秦、赵两国的人都称赞他。说着华阳夫人就哭道：“我非常幸运地进入您的后宫，但是我又很不幸运，没有生下儿子，我想把子楚认为儿子，让他来继承您的位置，这样也能让我一生有所依靠。”安国君同意了华阳夫人的意见，和华阳夫人刻了玉符，说好了立子楚为继承人。紧接着安国君和华阳夫人就命人给子楚送去了很多的东西，并且请吕不韦担任子楚的老师，从此子楚在各国的名声就越来越大。

四

【原文】

吕不韦取邯郸诸姬绝好[①]善舞者与居，知有身[②]。子楚从不韦饮，见而说[③]之，因起为寿[④]，请[⑤]之。吕不韦怒，念业已破家为子楚，欲以钓奇[⑥]，乃遂献其姬。姬自匿有身，至大期[⑦]时，生子政。子楚遂立姬为夫人。

【注释】

①绝好：非常漂亮。

②有身：指怀有身孕。

③说：通“悦”。

④寿：祝酒。

⑤请：求，要得到。

⑥钓奇：指想得到巨大利益。

⑦大期：十二个月。

【译文】

吕不韦在邯郸选取了一个美貌且舞技很好的女子一起同

居，知道她怀了孕。有一天，子楚去吕不韦家喝酒，看到这个女子后很喜欢，于是就站起来向吕不韦敬酒，并请求他把这个女子给他。吕不韦刚听了之后很生气，但是想了想，自己为了子楚已经把家产都快用光了，现在为什么不可以用这个女子做诱饵？于是就将这个女子送给了子楚。这个女子将自己已经怀孕的事实隐瞒了，十二个月之后，她生了一个儿子，取名叫政。因此子楚将这个女子立为夫人。

五

【原文】

秦昭王五十年，使王齮围邯郸，急，赵欲杀子楚。子楚与吕不韦谋，行金六百斤予①守者吏，得脱，亡赴秦军，遂以得归。赵欲杀子楚妻子，子楚夫人赵豪家女也，得匿，以故母子竟得活。秦昭王五十六年，薨，太子安国君立为王，华阳夫人为王后，子楚为太子。赵亦奉子楚夫人及子政归秦。

【注释】

①予：给予。

【译文】

秦昭王五十年，派王齮前去攻打邯郸，赵国的处境很危急，于是想杀掉子楚。子楚和吕不韦商讨之后，将六百斤金子送给了守城的小吏，才从赵国脱身，逃到秦军的军营，才得以回国。这个时候赵国要杀掉子楚的妻子和儿子，子楚夫人原本是赵国一富人家的女儿，于是就逃到娘家隐藏起来了，这母子二人才得以脱险。秦昭王五十六年，秦昭王去世，太子安国君继承王位，华阳夫人也就成了王后，子楚成了太子。这个时候赵国只能将子楚的夫人和儿子政送回秦国。

李斯列传

一

【原文】

斯乃上书曰：

臣闻吏议逐客，窃以为过矣。昔缪公求士，西取由余于戎，东得百里奚于宛，迎蹇叔于宋，来丕豹、公孙支于晋。此五子者，不产于秦，而缪公用之，并国二十，遂霸西戎。孝公用商鞅之法，移风易俗，民以殷盛，国以富强，百姓乐用，诸侯亲服，获楚、魏之师，举地千里，至今治强。惠王用张仪之计，拔三川之地，西并巴、蜀，北收上郡，南取汉中，包九夷，制鄢、郢，东据成皋之险，割膏腴之壤，遂散六国之从，使之西面事秦，功施①到今。昭王得范雎，废穰侯，逐华阳，强公室，杜私门，蚕食诸侯，使秦成帝业。此四君者，皆以客之功。由此观之，客何负于秦哉！向使四君却客而不内②，疏士而不用，是使国无富利之实而秦无强大之名也。

【注释】

①施（yì）：延续。

②内（nà）：通“纳”。

【译文】

李斯上书说：我听说官吏总会议论驱逐客卿的事情，我认为这是错误的。以前秦穆公四处寻求贤士，在西戎地区得到了由余，在宛地得到了百里奚，在宋地得到了蹇叔，在晋地得到了丕豹、公孙支。这五个人，都不是秦国人，而秦穆公却重用他们，并且连续吞并了二十多个国家，于是称霸西戎。秦孝公推行商鞅的改革，改变风气和习俗，百姓才能够富裕，国家才能够强盛，百姓才乐意为国家效力，诸侯也才乐意亲服，以此才击败了楚国和魏国，获得了方圆千里的土地，直到现在依然国家安宁、兵力强盛。秦惠王采纳了张仪的建议，拿下了三川地区，向西吞并了巴地和蜀地，向北收服上郡地区，向南攻下了汉中地区，包括九夷地区在内，制服了鄢国、郢国，向东占领了地势险要的成皋，得到了肥沃的土地，而且还将六国遣散，让他们侍奉西面的秦国，这个功业一直延续到了今天。秦昭王得到范雎，便将穰侯的官职废除，将华阳君逐出，让王室变得强大起来，杜绝了贵戚的专权，像蚕吃桑叶一般逐渐将诸侯吞噬，最终促使秦国成就一番帝业。这四位君主，都是借着客卿的力量才获得了现在的成就。由此看来，客卿又有什么理由辜负秦国呢！如果这四位君主不让客卿入内，更不会重用他们，这样秦国不仅不会富强，更不会有强大的名声了。

二

【原文】

臣闻地广者粟多，国大者人众，兵强则士勇。是以太山不让土壤，故能成其大；河海不择细流，故能就其深；王者不却众庶，故能明其德。是以地无四方，民无异国，四时充美，鬼神降福，此五帝、三王之所以无敌也。今乃弃黔首[1]以资敌国，却宾客以业诸侯，使天下之士退而不敢西向，裹足不入秦，此所谓“藉寇兵而赍盗粮”者也。

夫物不产于秦者，可宝者多；士不产于秦，而愿忠者众。今逐客以资敌国，损民以益仇，内自虚而外树怨于诸侯，求国无危，不可得也。

秦王乃除逐客之令，复李斯官，卒用其计谋。官至廷尉。

【注释】

①黔首：庶民，平民。

【译文】

我听说土地广大的地方可以生产出很多的粮食，国家大人口就会多，武器精良士兵也会勇猛。因此泰山不排斥细小的尘土，所以才能够变成现在这般大；河流大海不舍弃细小的水流，所以才能够有现在这般深；君主不抛弃百姓，所以才能够彰显圣德。由此土地不分东南西北，百姓不分国家，四季充盈，鬼神也会赐福，这就是五帝三王之所以能够所向披靡的原因。而今您却抛弃百姓而去帮助敌国，放弃客卿而去帮助其他诸侯，使天下的士人都会后退而不敢向西前进，停止而不会来到秦国，这就是所说的“借给敌人武器，借给盗贼粮草”啊！

物品不产于秦国，而宝贵的却很多；士人不产于秦国，愿意效忠的也很多。而今君主驱逐客卿却帮助敌对的国家，损害百姓的利益来维护仇人的利益，对内让自己虚弱，对外让诸侯怨恨，这样还想求得国家没有危难，是不可能的。

于是秦王废除了逐客令，让李斯官复原职，最终也采纳了李斯的建议。李斯官位升到了廷尉。

淮阴侯列传

一

【原文】

淮阴侯韩信者，淮阴人也。始为布衣[①]时，贫无行[②]，不得推择[③]为吏，又不能治生[④]商贾，常从人寄食饮，人多厌之者。常数从其下乡南昌亭长寄食，数月，亭长妻患之，乃晨炊蓐食。食时信往，不为具食。信亦知其意，怒，竟绝去。

【注释】

①布衣：平民百姓。

②无行：品行不好。

③推择：推举选用。

④治生：谋生的意思。

【译文】

淮阴侯韩信是淮阴人。起初他是平民的时候，生活贫困，品行不好，既不可以被推选当官，也不能做买卖维持生计，因为常常去别人家蹭饭吃，多数人都讨厌他。他曾到下乡的南昌亭亭长家蹭饭，一去就是好几个月，这让亭长的妻子很是烦恼，于是她每天早早把饭做好，端到室内让家人吃。到了吃饭的时间韩信来了，就不再准备饭菜。韩信知道他们这样做的意思，心里很是生气，于是就再也没有去过。

二

【原文】

信钓于城下，诸母[1]漂，有一母见信饥，饭信，竟[2]漂数十日。信喜，谓漂母曰："吾必有以重报母。"母怒曰："大丈夫不能自食[3]，吾哀王孙[4]而进食，岂望报乎！"

【注释】

①母：是对老年妇女的尊称。

②竟：到底，完毕。

③自食：自己养活自己。

④王孙：对年轻人的敬称。

【译文】

一天，韩信在城外钓鱼，河边有一些老妇人在洗涤丝棉，其中一位老妇人看到韩信很饥饿，于是就把自己的饭菜分给韩信吃，这样持续了几十天，一直到这位老妇人离去。韩信非常高兴，跟那位老妇人说："今后我一定要好好报答您。"那位老妇人听了之后很生气地说："你一个大丈夫连自己都养活不了，我给你饭吃是可怜你，我还能指望你来报答我吗？"

三

【原文】

淮阴屠①中少年有侮信者，曰："若虽长大，好带刀剑，中情②怯耳。"众辱③之曰："信能死④，刺我；不能死，出我袴⑤下。"于是信孰视之，俯出袴下，蒲伏⑥。一市人皆笑信，以为怯。

【注释】

①屠：以宰杀牲畜为业的人。

②中情：内心。

③众辱：当众污辱。

④能死：不怕死。

⑤袴：通"胯"，两腿间。

⑥蒲伏：同"匍匐"，跪在地上爬行。

【译文】

淮阴县的集市上有一个年轻的卖肉人拦着韩信说："虽然你长得很高也很壮，还喜欢佩带刀剑，其实内心就是一个胆小鬼。"于是就在大庭广众之下侮辱韩信说："你要是不怕死，就拿着你的剑来刺我；如果你怕死，就从我的胯下钻过去。"韩信盯着他看了一会儿，还是趴在地下，从屠夫的胯下爬了过去。街上围观的人都嘲笑他，认为韩信这个人太懦弱了。

四

【原文】

及项梁渡淮，信杖剑从之，居麾下[①]，无所知名。项梁败，又属项羽，羽以为郎中。数以策干[②]项羽，羽不用。汉王之入蜀，信亡归汉，未得知名，为连敖。坐法[③]当斩，其辈十三人皆已斩，次至信，信乃仰视，适见滕公，曰："上[④]不欲就天下乎？何为斩壮士！"滕公奇其言，壮其貌，释而不斩。与语，大说[⑤]之。言于上，上拜以为治粟都尉，上未之奇也。

【注释】

①麾下：帅旗之下，即部下。

②干：求取。

③坐法：因犯法而获罪。

④上：皇上。此实指汉王刘邦。

⑤说：同"悦"，喜欢，高兴。

【译文】

等到项梁带兵来到淮北的时候，韩信带着剑跟随他，投靠到了项梁的麾下，但是他这个人整天默默无闻，所以没有人赏识他。后来项梁战败，韩信就跟随了项羽，项羽只给了他一个小职务——郎中。他曾很多次为项羽出谋划策，但项羽都没有采用。汉王刘邦率领部下入蜀，韩信就脱离楚军，投奔了汉王。由于没有什么好名声，只能担任一个接待宾客的小官。后来因为犯法而被判斩刑，他的伙计十三人也都被杀了，等该斩韩信的时候，他抬头仰望，恰巧看到了滕公，说："难道汉王不想建立一统天下的大业吗？为何要杀掉壮士呢？"滕公觉得他的话与众不同，且相貌堂堂，于是就放了他。滕公与韩信谈话之后，非常欣赏他，就把这件事禀报给了汉王，汉王让韩信担任治粟都尉一职。但是汉王并没有发现他有什么出众的才能。

五

【原文】

信数与萧何语，何奇之。至南郑，诸将行道亡者数十人，信度①何等已数言上，上不我用，即亡。何闻信亡，不及以闻，自追之。人有言上曰："丞相何亡。"上大怒，如失左右手。居一二日，何来谒②上，上且怒且喜，骂何曰："若亡，何也？"何曰："臣不敢亡也，臣追亡者。"上曰："若所追者谁何？"曰："韩信也。"上复骂曰："诸将亡者以十数，公无所追；追信，诈也。"何曰："诸将易得耳。至如信者，国士③无双。王必欲长王汉中，无所事信；必欲争天下，非信无所与计事者。顾④王策⑤安所决耳。"王曰："吾亦欲东耳，安能郁郁久居此乎？"何曰："王计必欲东，能用信，信即留；不能用，信终亡耳。"王曰："吾为公以为将。"何曰："虽为将，信必不留。"王曰："以为大将。"何曰："幸甚。"于是王欲召信拜之。何曰："王素慢⑥无礼，今拜大将如呼小儿耳，此乃信所以去也。王必欲拜之，择良日，斋戒⑦，设坛场⑧，具礼，乃可耳。"王许之。诸将皆喜，人人各自以为得大将。至拜大将，乃韩信也，一军皆惊。

【注释】

①度：揣测，估计。

②谒：进见，拜见。

③国士：国内杰出的人物。

④顾：但。

⑤策：指"长王汉中"和"争天下"两种策略。

⑥素慢：一向傲慢。素，向来。

⑦斋戒：古人祭祀等大典前，先行沐浴、更衣、独宿、素餐以清心洁身，表示敬重。

⑧坛场：指拜将场所。

【译文】

韩信与萧何曾谈过很多次话，萧何非常赏识他，觉得他是一位奇才。汉王带领人马到达南郑的时候，在路上就有十几个将领逃跑了。韩信见萧何等人曾多次向汉王推荐自己，但始终得不到汉王的重用，估计没什么希望了，于是就离开了。当萧何听到韩信离开的消息后，没有来得及向汉王禀告，立刻就去追了。这个时候有人向汉王报告说："丞相萧何逃走了。"汉王非常生气，感觉就像失去了左右手。过了几天之后，萧何前来见汉王，汉王是又生气又高兴。骂萧何说："你为什么要逃跑啊？"萧何说："我没有逃跑啊，我是去追逃跑的人了。"汉王说："你追的那个人是谁啊？"萧何说："是韩信。"汉王骂道："在途中逃跑的将领有十几人，你都没有追，如今你说去追韩信了，谁信呢？"萧何说："途中逃跑的那些将领不难得到，但是像韩信这样的有才之士，就难再找出第二个了。大王只想在这当一辈子的汉王，那就不需要韩信了；如果您想一统天下，那么除韩信之外恐怕没有人可以与您共议大事了。这就看大王您是怎么想的了。"汉王说："我自然是想要向东发展啊，怎么可以一辈子都待在这里呢？"萧何说："既然大王决定要朝东面发展，那就要重用韩信，这样韩信就会留下来为您出力。如果您不重用他，他自然是要逃跑的。"汉王说："那我看在你的面子上，就任命他为将军。"萧何说："就算是您让他做将军，他还是要逃走的。"汉王说："那我让他做大将。"萧何说："那可真是太好了。"于是汉王派人去请韩信，要任命他为大将。萧何说："大王您一直以来待人高傲，现在就像招呼小孩似的任命大将，这正是韩信要逃跑的原因啊。大王要是真想任用他，就应该挑选一个吉日，沐浴斋戒，在广场搭建坛台，举行一个隆重的任命仪式，那才行啊。”汉王同意了萧何的意见，将领们听说要任命大将的消息后，都非常高兴，每个人心中都在暗自想大将是自己。到了任命的时候，看到被任命的人居然是韩信，将领们都非常吃惊。

六

【原文】

信知汉王畏恶其能，常称病不朝从①。信由此日夜怨望，居常鞅鞅②，羞与绛③、灌等列。

【注释】

①不朝从：不朝见，不跟从出行。

②鞅鞅：内心不平。

③绛：指绛侯周勃。

【译文】

韩信知道汉王对自己的才能是既怕又恨，因此经常以生病为借口不去见他，也不跟随他一起出行，心中满是怨气，经常闷闷不乐。他认为让自己与周勃、灌婴等处于同一级别，就是一种羞耻。

七

【原文】

上常从容①与信言诸将能不，各有差。上问曰：“如我能将几何？”信曰：“陛下不过能将十万。”上曰：“于君何如？”曰：“臣多多而益善耳。”上笑曰：“多多益善，何为为我禽？”信曰：“陛下不能将兵，而善将将，此乃信之所以为陛下禽也。且陛下所谓天授，非人力也。”

【注释】

①常：同“尝”，曾经。从容：自然，不经心的样子。

【译文】

有一次，高祖与韩信在一起闲谈，说到开国将领每人可以统领多少人马的时候，高祖问道：“你说我可以统兵多少呢？”韩信说：“您最多可以统领十万兵马。”高祖问：“那你能领多少呢？”韩信说：“我是多多益善啊。”高祖笑了笑说：“既然你有那么大的本事，为何还被我活捉呢？”韩信说：“陛下，您虽然在带兵上不如我，却善于驾驭将领，这就是您能活捉我的原因。而且您之所以能胜利，这就是上天的安排，可不是人力能改变的。”

李将军列传

一

【原文】

李将军广者，陇西成纪人也。其先曰李信，秦时为将，逐得燕太子丹者也。故槐里，徙成纪。广家世世受①射。孝文帝十四年，匈奴大入萧关，而广以良家子②从军击胡，用③善骑射，杀首虏④多，为汉中郎。广从弟⑤李蔡亦为郎，皆为武骑常侍，秩⑥八百石。尝从行，有所冲陷⑦折关及格猛兽，而文帝曰：“惜乎，子不遇时！如令子当高帝时，万户侯⑧岂足道哉！”

【注释】

①受：学习。

②良家子：汉朝时，指非医、巫、商贾、百工之子女。

③用：由于，因为。

④杀首：斩杀敌人首级。虏：俘虏。

⑤从弟：堂弟。

⑥秩：俸禄的等级。

⑦冲陷：冲锋陷阵。

⑧万户侯：有万户封邑的侯爵。

【译文】

李广将军是陇西郡成纪县人。他的先祖李信是秦国的一位名将，就是追获燕太子丹的那位将军。李广的家乡是槐里县，之后李广迁徙到了成纪。李广家代代传习射箭的技术。文帝十四年，匈奴入侵萧关，这个时候李广以良家子弟的身份参军，来抵抗匈奴，他凭借自己的骑射本领，除掉了很多敌人，因此被任命为中郎。那个时候李广的堂弟李蔡也被任命做了中郎。他们二人都是武骑常侍，官级是八百石。有一次，李广随文帝外出，在冲锋陷阵和斗杀猛兽中表现得很勇敢。文帝说："真是可惜了啊！你没有遇到好时候，如果你在高祖时代，被封为万户侯都是有可能的。"

二

【原文】

及孝景初立，广为陇西都尉，徙[①]为骑郎将。吴楚军时[②]，广为骁骑都尉，从太尉亚夫[③]击吴楚军，取旗，显功名昌邑下。以梁王授广将军印，还，赏不行。徙为上谷太守，匈奴日以合战。典属国公孙昆邪为上泣曰："李广才气，天下无双，自负其能，数与虏敌战，恐亡之。"于是乃徙为上郡太守。后广转为边郡太守，徙上郡。尝为陇西、北地、雁门、代郡、云中太守，皆以力战为名。

【注释】

①徙：调任。

②吴楚军时：指景帝三年吴楚等七国起兵叛乱。

③亚夫：周亚夫。

【译文】

等到景帝即位之后，李广先是担任陇西都尉，紧接着又当上了骑郎将。在吴楚七国叛乱的时候，李广担任骁骑都尉，跟随太尉周亚夫反攻吴楚叛军。在战争中，李广在昌邑城夺下了敌军的战旗，立下了大功。但因为梁孝王私自给了李广军印，回朝后，朝廷赏赐了别人，而没有赏赐李广。之后李广被任命为上谷太守，每天都要和匈奴打仗。典属国公孙昆邪哭着和景帝说："李广是个人才，天下很难再找到这样一个人，也正是因为他有着高超的武艺，每天都在与敌军交战，但是真害怕哪天失去这位好将领。"于是景帝调任他做了上郡太守。之后李广又辗转在边界很多地方担任太守，如陇西、北地、雁门、代郡、云中等，都留下了骁勇善战的好名声。

三

【原文】

居久之，孝景崩，武帝立，左右以为广名将也，于是广以上郡太守为未央①卫尉，而程不识亦为长乐②卫尉。程不识故与李广俱以边太守将军屯③。及出击胡，而广行无部伍④行陈，就善水草屯，舍止，人人自便，不击刀斗⑤以自卫，莫府⑥省约文书籍事，然亦远斥候⑦，未尝遇害。程不识正部曲⑧行伍营陈，击刀斗，士吏治⑨军簿至明，军不得休息，然亦未尝遇害。不识曰："李广军极简易，然虏卒⑩犯之，无以禁也；而其士卒亦佚⑪乐，咸乐为之死。我军虽烦扰，然虏亦不得犯我。"是时汉边郡李广、程不识皆为名将，然匈奴畏李广之略，士卒亦多乐从李广而苦程不识。程不识孝景时以数[12]直谏为太中大夫。为人廉，谨于文法[13]。

【注释】

①未央：西汉宫殿名，当时是皇帝的居所。

②长乐：西汉宫殿名，当时是太后的居所。

③将军屯：掌管军队的驻防。

④部伍：指军队的编制。

⑤刀斗：刁斗。铜质的军用锅，白天用来做饭，夜里敲它巡更。

⑥莫府：即“幕府”。莫，通“幕”。

⑦斥候：侦察瞭望的士兵。

⑧部曲：古代军队编制，将军率领的军队。

⑨治：办理，处理。

⑩卒：通“猝”，突然。

⑪佚：通“逸”，安逸，安闲。

⑫数：屡次。

⑬文法：朝廷制定的条文法令。

【译文】

过了很多年之后，汉景帝死了，汉武帝即位。辅佐在左右的大臣都向他推荐说李广是一位出色的将领，因此李广从上郡太守的职位调到了未央宫的卫尉，而程不识也担任长乐宫的卫尉。程不识和李广以前都是边郡太守的身份领军驻守边防。出兵攻打匈奴时，李广的军队通常是比较随便，没有严格队列，驻扎也是随便寻找一个有水草的地方，住下之后也是非常随便，晚上不打更巡逻，军队中的那些文书簿册也都非常简单，但是他在较远的地方安排好了哨兵，因此从来没有遭遇过敌人的偷袭。程不识在军队的编制、队列、驻扎等方面要求都很严格，夜里也要巡逻打更，每晚处理公文册子直到天亮，全军都休息不了，但他的军队也从来没有遭遇到突然袭击。程不识说：“李广在管理军队上简单易行，如果遇上敌人突然袭击，那就难以应对了。但他的战士们都过得比较快乐，都愿意为他出生入死。而我的军队虽然任务繁多，但是敌人不敢偷袭我军。”那个时候，李广和程不识都是守卫边防的名将，但是匈奴都很怕李广，士兵们也都愿意跟随李广，而不愿意跟随程不识。景帝在位时，程不识因多次直言劝谏，做过太中大夫，为人廉洁，谨守法规制度。

四

【原文】

顷之，家居数岁。广家与故颍阴侯孙屏①野居蓝田南山中射猎。尝夜从一骑出，从人田间饮。还至霸陵亭，霸陵尉醉，呵②止广。广骑曰：“故李将军。”尉曰：“今将军尚不得夜行，何乃故也！”止广宿亭下。居无何③，匈奴入杀辽西太守，败韩将军，后韩将军徙右北平，死，于是天子乃召拜广为右北平太守。广即请霸陵尉与俱，至军而斩之。

【注释】

①屏：隐居。

②呵：大声呵斥。

③居无何：过了不久。

【译文】

很快，李广在家赋闲了几年。李广和颍阴侯灌婴的孙子灌强隐居长安以南的蓝田县，并在南山打猎。有一天夜晚，李广带着一名随从去田野和一个朋友饮酒，在回来的时候，经过霸陵亭，正好看到了喝醉的霸陵尉，他大声训斥李广，不允许李广通过。李广的随从就说：“这位是前任李将军。”霸陵尉说："就是现任将军也不能通过，更何况是前任呢。"于是就把李广扣留在霸陵亭过了夜。过了不久，匈奴侵入杀害了辽西太守，韩安国也被打败，于是韩安国被调任到了右北平，呕血而死。于是汉武帝征召李广为右北平太守。李广接到任命之后，请求朝廷派霸陵尉与他同去，当霸陵尉来到军中时，李广就将他杀掉了。

五

【原文】

广廉，得赏赐辄[1]分其麾下[2]，饮食与士共之。终广之身，为二千石四十余年，家无余财，终不言家产事。广为人长，猿臂[3]，其善射亦天性也，虽其子孙他人学者，莫能及广。广讷口[4]少言，与人居则画地为军陈，射阔狭以饮。专以射为戏，竟死。广之将兵，乏绝[5]之处，见水，士卒不尽饮，广不近水，士卒不尽食，广不尝食。宽缓不苛，士以此爱乐为用。其射，见敌急[6]，非在数十步之内，度不中不发，发即应弦而倒。用此[7]，其将兵数困辱，其射猛兽亦为所伤云。

【注释】

①辄：总是，就。

②麾下：部下。

③猿臂：传说有一种通臂猿，左右两臂在肩部相通，可自由伸缩。

④讷口：说话迟钝，口拙。

⑤乏绝：指缺水断粮。

⑥急：逼近。

⑦用此：因此。

【译文】

李广为人廉洁，只要得到赏赐就会与部下一同分享，吃喝都是和士兵们一起。他当了四十多年的两千石俸禄官，但是家中没有积攒下钱财，而他为官的时候也从没有说起家产之事。李广个子很高，两条胳膊也很长，他射箭的绝技也是出于天赋，就算是他的子孙后代学射箭，也没有一个能超越他的。李广言语比较迟钝，平时话也不多，和别人在一起的时候就是喜欢画地为阵，比赛射箭，输了的人要被罚酒，这是他一辈子的习惯。李广带着军队，到了一些缺粮缺水的地方，看到水时，如果士兵们还没有喝到水，他就不去喝；只要士兵还没吃东西，他就绝对不吃。李广为人宽厚，深得士兵爱戴，大家很愿意为他做事。李广的射箭方法就是看到敌人靠近时，不在数十步之内，如果射不中就绝对不射。如果要射，敌人必定会被射中。正是因为这样，他曾不止一次被困受辱，射猛兽也被猛兽伤害过。

匈奴列传

一

【原文】

匈奴，其先祖夏后氏之苗裔①也，曰淳维。唐虞②以上有山戎、猃狁、荤粥，居于北蛮，随畜牧而转移。其畜之所多则马、牛、羊，其奇畜则橐驰③、驴、骡④、駃騠⑤、騊駼⑥、驒騱⑦。逐水草迁徙，毋城郭常处耕田之业，然亦各有分地。毋文书⑧，以言语为约束。儿能骑羊，引弓射鸟鼠；少长则射狐兔：用为食。士力能毌弓⑨，尽为甲骑。其俗，宽则随畜，因射猎禽兽为生业，急则人习战攻以侵伐，其天性也。其长兵则弓矢，短兵则刀铤。利则进，不利则退，不羞遁走。苟利所在，不知礼义。自君王以下，咸食畜肉，衣其皮革，被旃裘。壮者食肥美，老者食其余。贵壮健，贱老弱。父死，妻其后母；兄弟死，皆取其妻妻之。其俗有名不讳，而无姓字。

【注释】

①苗裔：后代子孙。

②唐虞：唐尧与虞舜。

③橐驰：（tuó tuó）：同“橐驼”，即骆驼的意思。

④骡（luó）：母马和公驴杂交而生者。

⑤駃騠（jué tí）：母驴和公马杂交而生的驴骡。

⑥騊駼：一种良马。

⑦驒騱（tuó xí）：野马的名字。

⑧文书：文字书籍的意思。

⑨毌弓：通“贯弓”，拉开弓。

【译文】

匈奴的祖先是夏后氏的后代子孙，名淳维。唐尧、虞舜之前就出现了山戎、猃狁、荤粥，他们居住在北方蛮荒地带，随畜牧活动而转移。他们的牲畜大部分为马、牛、羊，少部分奇特的牲畜有骆驼、驴、骡、駃騠、騊駼、驒騱。他们追逐着水草而迁移，没有城郭和固定居住的地方，不从事耕田之类的农业生产，但是仍平均拥有各自分占的土地。他们没有文字与书籍，只用言语来约束大家的行动。儿童不仅会骑羊，而且还会拉弓射击鸟与鼠，等稍稍长大点就可以射击狐兔，当作食物了。成年男子都会拉弓射箭，全部披挂铠甲骑着战马。匈奴的习俗，通常没有战事时，就会随意游牧，以射猎飞禽走兽谋生；形势紧张的时候，人人都去练习攻战的本领，用来侵占篡夺，这便是他们的天性。他们拥有的长兵器是弓箭，短兵器是刀和铤。只要是有利的形势就去进攻，不利则后退，并不认为逃跑是件很羞耻的事情。但凡是有利可得，他们就从不在乎礼义是否准许。自君王之下，大家都用牲畜的肉作主食，都穿着皮革衣服，肩披带毛的皮袄。壮健的人吃肥美的食物，而那些老年人则吃剩余的食物。他们非常重视壮健的人，而忽视年老体弱者。父亲死了，儿子就娶后母当妻子；兄弟死了，活着的兄弟就娶他的妻子为妻。匈奴人有名但不避讳，却无姓和字。

二

【原文】

当是之时，秦晋为强国。晋文公攘[①]戎翟，居于河西圁[②]、洛之间，号曰赤翟、白翟。秦穆公得由余，西戎八国服于秦，故自陇以西有绵诸、绲戎、翟、貆之戎，岐、梁山、泾、漆[③]之北有义渠、大荔、乌氏、朐衍之戎。而晋北有林胡、楼烦之戎，燕北有东胡、山戎。各分散居溪谷，自有君长，往往而聚者百有余戎，然莫能相一[④]。

【注释】

①攘：赶走，赶跑。

②圁（yín）：河水名。

③漆：河名。

④相一：互相统一。

【译文】

在那个时期，秦、晋是实力雄厚的强国。晋文公赶走的戎狄，居住在河西圁水、洛水之间，称作赤翟、白翟。秦穆公通过由余的协助，使西戎八个国家都依附了秦国，因此从陇地往西分别是绵诸、绲戎、翟、貆之戎，岐山、梁山、泾水、漆水以北是义渠、大荔、乌氏、朐衍等戎族。而晋国北部是林胡、楼烦等戎族，燕国北部是东胡与山戎。各自分散居住于溪谷里，都有各自的君长，经常聚集在一起的达上百个戎族部落，但都无法互相统一。

三

【原文】

单于有太子名冒顿。后有所爱阏氏[1]，生少子，而单于欲废[2]冒顿而立少子，乃使冒顿质于月氏。冒顿既质于月氏，而头曼急击月氏。月氏欲杀冒顿，冒顿盗其善马，骑之亡归。头曼以为壮，令将万骑。冒顿乃作为鸣镝[3]，习勒[4]其骑射，令曰："鸣镝所射而不悉射者，斩之。"行猎鸟兽，有不射鸣镝所射者，辄斩之。已而冒顿以鸣镝自射其善马，左右或不敢射者，冒顿立斩不射善马者。居顷之，复以鸣镝自射其爱妻，左右或颇恐，不敢射，冒顿又复斩之。居顷之，冒顿出猎，以鸣镝射单于善马，左右皆射之。于是冒顿知其左右皆可用。从其父单于头曼猎，以鸣镝射头曼，其左右亦皆随鸣镝而射杀单于头曼，遂尽诛其后母与弟及大臣不听从者。冒顿自立为单于。

【注释】

①阏氏：匈奴单于的正妻。

②废：废除，罢黜。

③鸣镝（dí）：一种射出后会发出响声的箭。

④习勒：约束，训练。

【译文】

单于的太子名为冒顿，后来单于所爱的阏氏为他生了一个小儿子。单于想要废除太子冒顿而立小儿子当太子，于是就派冒顿去月氏当人质。冒顿随即前往月氏当人质，而头曼却急着攻击月氏，月氏想杀死冒顿，冒顿却偷盗了月氏的良马，骑着它拼命逃回匈奴。头曼觉得他很勇猛，就让他统率一万骑兵。冒顿还创造了一种响箭，以此训练他的部署骑马射箭的本事，于是下令说：“只要是我的响箭射击的目标，假如谁不跟着我尽全力去射击它，就立刻斩首示众。”最初是射猎鸟兽，发现有人不射响箭所射的目标，冒顿便将他杀死。没过多久，冒顿用响箭来射击自己的良马，身旁有谁不敢射击的，冒顿就杀死他们。又过了些日子，冒顿又拿响箭来射击自己心爱的妻子，身旁有为此感到非常恐惧的人，不敢去射击，冒顿又将他们杀死了。过了些日子，冒顿出门打猎，便用响箭射击单于的良马，于是身边的人都跟着射击。于是冒顿便清楚地知道他身边的都是可用之人。他追随单于头曼外出打猎，用响箭射击头曼的头，他身边的人也都用响箭射死了单于头曼，于是将他的后母、弟弟以及不顺从的大臣全都杀害。冒顿自称为单于。

四

【原文】

汉孝文皇帝十四年，匈奴单于十四万骑入朝那、萧关，杀北地都尉印，虏人民畜产甚多，遂至彭阳。使奇兵①入烧回中宫②，候骑③至雍甘泉④。于是文帝以中尉周舍、郎中令张武为将军，发车千乘，骑十万，军⑤长安旁以备胡寇。而拜昌侯卢卿为上郡将军，宁侯魏遬为北地将军，隆虑侯周灶为陇西将军，东阳侯张相如为大将军，成侯董赤为前将军，大发车骑往击胡。单于留塞内月馀乃去，汉逐出塞即还，不能有所杀。匈奴日已骄，岁入边⑥，杀略人民畜产甚多，云中、辽东最甚，至万馀人。

汉患之，乃使使遗匈奴书。单于亦使当户报谢，复言和亲事。

【注释】

①奇兵：突击队。

②回中宫：宫名，位于陕西陇县西北。

③候骑：匈奴的侦察骑兵。

④雍甘泉：雍州的甘泉宫，在今陕西淳化县西北。

⑤军：驻扎的军队。

⑥岁入边：每年都入侵汉朝边境。

【译文】

汉孝文帝十四年（公元前166年），匈奴单于统领十四万骑兵进攻朝那、萧关，杀害北地都尉孙卬，虏获许多百姓与牲畜后，来到彭阳，并派突击队进去将中宫烧毁。匈奴的侦察骑兵来到雍地甘泉宫。汉文帝任用中尉周舍、郎中令张武为将军，派出兵车千辆，骑兵十万，驻扎坚守在长安附近以便抵御匈奴的入侵。同时还任命昌侯卢卿为上郡将军，宁侯魏遬为北地将军，隆虑侯周灶为陇西将军，东阳侯张相如为大将军，成侯董赤为前将军，大量兵车与骑兵被派去攻打匈奴。匈奴单于在汉朝边塞里待了一个多月就离去了，汉朝的兵马将敌军追出塞外便折回塞内，并没有给匈奴带来杀伤。匈奴为此愈发骄横，每一年都会侵入边境内，杀死、抢夺很多百姓与牲畜，特别是云中郡与辽东郡地区受害最惨重，共有数万人被掠杀。汉朝为此感到非常忧虑，于是就派出使者前往匈奴送信，单于也派出当户给汉回信，以示答谢，双方再次商讨和亲的事情。

五

【原文】

单于既①约和亲，于是制诏②御史曰：“匈奴大单于遗朕书，言和亲已定，亡人不足以益众广地，匈奴无入塞，汉无出塞，犯令约者杀之，可以久亲，后无咎[3]，俱便。朕已许之。其布告天下，使明知之。”

【注释】

①既：既然，已经。

②制诏：皇帝下诏的命令。

③咎：祸殃，祸患。

【译文】

单于既然签好和亲的盟约，于是汉文帝便下诏御史说：“匈奴大单于遣送给我的信，说是和亲已经确定，逃亡的人不够，增添民众以及扩充土地，从此匈奴人不会再入侵边塞，汉朝人也不可以走出边塞，违犯现在条约的人就会被斩首，这样就能保持长久的亲近和睦关系，从今以后不会再发生祸患，这对双方来说都是非常有利的事。我已经准许了他的要求。将这个消息昭告全国，让百姓都清楚这件事。”

六

【原文】

其秋，匈奴大入定襄、云中，杀略数千人，败[1]数二千石而去，行破坏光禄所筑城列亭鄣。又使右贤王入酒泉、张掖，略数千人。会任文击救，尽复失所得而去。是岁[2]，贰师将军破大宛，斩其王而还。匈奴欲遮之，不能至。其冬，欲攻受降城，会单于病死。

【注释】

①败：击败，打败。

②是岁：这一年。

【译文】

这年秋季，匈奴出动大部队侵入定襄、云中，杀害掠夺几千人，打败了几位俸禄二千石的官员才离开，行军途中还破坏了光禄徐自为所修建的亭子和城堡。又命右贤王入侵酒泉、张掖，掠夺几千人。恰巧赶上汉朝将军任文的奋击相救，匈奴又失掉了全部掠夺来的汉人，只得离去。这年，贰师将军李广利击破大宛，把大宛王斩首了才归来。匈奴想要阻截李广利，却没能赶上。这年冬季，匈奴想要进攻受降城，正巧单于患病而死。

七

【原文】

太史公曰：孔氏著《春秋》，隐桓①之间则章②，至定哀③之际则微④，为其切⑤当世之文⑥而罔褒⑦，忌讳之辞也。世俗之言匈奴者，患其徼⑧一时之权⑨，而务谄纳其说，以便偏指⑩，不参彼己；将率席中国广大，气奋，人主因以决策，是以建功不深。尧虽贤，兴事业不成，得禹而九州宁。且欲兴圣统，唯在择任将相哉！唯在择任将相哉！

【注释】

①隐桓：鲁隐公和鲁桓公。《春秋》记事起于鲁隐公元年。隐桓时期是《春秋》记事的初期阶段。

②章：通“彰”，显著。

③定哀：鲁定公和鲁哀公。《春秋》记事终于鲁哀公十四年。

④微：隐晦不明。

⑤切：切近。

⑥文：指法典条文、礼乐制度。实指现实政治。

⑦罔褒：没有值得赞扬之事。罔：无。

⑧徼：通“侥”，侥幸。

⑨权：功利。

⑩偏指：同“偏旨”，片面的主张。

【译文】

太史公说：孔子著《春秋》，鲁隐公、鲁桓公时期的事情记录得非常清楚，到鲁定公和鲁哀公时期，就记述得比较委婉而含蓄，这是因为当时的政治他比较了解，同时又没有值得赞扬的事迹，属于忌讳文辞。而去议论那些匈奴问题的世俗人，就错在抱着侥幸心理而想得到一时的势力，所以就进献谗言谄谀奉承，让片面的观点占据有利地位，却不探讨匈奴与汉朝的实际状况。将帅们对待匈奴仅依靠中国土地的广大，士气的雄壮，天子同样也依据这些来制定相应的计策，因此建立的功绩并不深广。尽管尧很贤明，却没能依靠自己的力量实现大业，在获得大禹之后，全中国才得到安宁。要想弘扬圣王的传统，只在于挑选委用合适的将帅啊！只在于挑选委用合适的将帅啊！

南越列传

一

【原文】

南越王尉佗者，真定人也，姓赵氏。秦时已并天下，略定杨越，置桂林、南海、象郡，以谪徙[①]民，与越杂处十三岁。佗，秦时用为南海龙川令。至二世时，南海尉任嚣病且死，召龙川令赵佗语曰：“闻陈胜等作乱，秦为无道，天下苦之，项羽、刘季、陈胜、吴广等州郡各共兴军聚众，虎争天下，中国扰乱，未知所安，豪杰畔秦相立。南海僻远，吾恐盗兵侵地至此，吾欲兴兵绝新道，自备，待诸侯变，会病甚。且番禺负山险，阻南海，东西数千里，颇有中国[②]人相辅，此亦一州之主也，可以立国。郡中长吏无足与言者，故召公告之。”即被佗书，行南海尉事。嚣死，佗即移檄告横浦、阳山、湟谿关曰：“盗兵且至，急绝道聚兵自守！”因稍以法诛秦所置长吏，以其党为假[③]守。秦已破灭，佗即击并桂林、象郡，自立为南越武王。高帝已定天下，为中国劳苦，故释佗弗诛。汉十一年，遣陆贾因立佗为南越王，与剖符[④]通使，和集百越，毋为南边患害，与长沙接境。

【注释】

①徙：迁徙，迁移。

②中国：中原地区。

③假：代理。

④剖符：皇帝分封诸侯用的符信。

【译文】

南越王尉佗是真定人，姓赵。秦国吞并六国之后，又平息了杨越，设立了桂林、南海、象郡，将那些犯罪的百姓流放到那些地方，跟当地越人杂居有十三年。尉佗，秦朝时被委任为南海郡的龙川县令。到秦二世时，南海郡尉任嚣病重快要死的时候，把龙川县令赵佗召过来，对他说：“听说陈胜等已经发起叛变，秦朝实施暴虐无道的政策，已招致天下百姓的痛恨，项羽、刘邦、陈胜、吴广等都在各自的州郡聚合民众，组建军队，像猛虎一样去争夺天下，中原地区扰攘动乱，不知道什么时候才能安宁，豪杰们背离秦朝，互相对峙。南海郡偏僻遥远，我担心那些强盗的军队为了侵占土地而打到这里来，所以我想起兵切断通向中原的新路，自己作好防备，等待诸侯的变化，碰巧我的病势加重了。再说番禺背靠险要的山岭，又有南海阻隔，东西几千里，一些中原人会帮助我们，这样他也可以作为一州之主，可以借此建立国家。南海郡的长官都不配和他研究这些事，因此召见你告诉你我的想法。”任嚣随即给赵佗颁发委任文书，让他行使南海郡的职权。任嚣死后，赵佗立刻向横浦、阳山、湟谿关传送檄文，命令说：“强盗的军队就要攻打过来，要快速切断道路，聚集军队，加强防守。”赵佗利用这个机会，逐渐依刑法诛杀了秦朝任命的官吏，而任用自己的亲信当代理官员。秦朝被灭后，赵佗随即攻打并兼并了桂林、象郡，自立为南越武王。汉高祖平定天下后，因为中原地区的百姓劳累艰苦，所以汉高祖便放过了赵佗，没有派兵征讨他。汉高祖十一年（公元前196年），汉高祖差遣陆贾前往南越，命令赵佗袭用他南越王的称号，同他一起制定条约，互通使节，让他协调百越各部落，让他们保持和睦相处的关系，让他们不要变成汉朝南边的祸患，要与相邻的长沙国搞好关系。

二

【原文】

高后①时，有司②请禁南越关市铁器。佗曰：“高帝立我，通使物③，今高后听谗臣，别异蛮夷，隔绝器物，此必长沙王计也，欲倚中国，击灭南越而并王之，自为功也。”于是佗乃自尊号为南越武帝，发兵攻长沙边邑，败数县而去焉。高后遣将军隆虑侯灶④往击之。会暑湿，士卒大疫，兵不能逾岭⑤。岁余，高后崩，即罢兵。佗因此以兵威边，财物赂遗⑥闽越、西瓯、骆，役属焉，东西万余里。乃乘黄屋左纛⑦，称制，与中国侔⑧。

【注释】

①高后：指吕后。汉高祖去世后，她把持了朝中权力，前后共达十六年。

②有司：掌管具体工作的官员或指相关部门。

③使物：使者和物资。

④灶：人名，即周灶。

⑤岭：指的是阳山岭。

⑥赂遗（wèi）：贿赂的意思。

⑦左纛（dào）：插在车厢左边用旄牛尾或雉尾所装饰的旗子。“黄屋左纛”是秦汉时皇帝的车饰。

⑧侔（móu）：同等，相等。

【译文】

到高后执政时，相关部门的官员提议禁止南越在边境设市进行铁器交易。赵佗上书说：“高祖皇帝册封我为南越王，双方互通使者和物资，如今高后听信谗言，将蛮夷视为异类，断绝我们所需器物的交易，这必定是长沙王的主张，他想倚仗中原汉王朝的势力，消灭南越，吞并南越疆土，来显示自己的功劳。”于是，赵佗便擅自加封尊号为南越武帝，出兵攻打长沙国边境的城邑，击败了几个县城后才撤兵离去。高后派将军隆虑侯周灶率兵前去攻打赵佗。正巧赶上酷暑潮湿的气候，军中疫病流行，导致大军无法翻越阳山岭。又过了一年多，高后驾崩，朝廷便停止了进攻。赵佗因此借助他的军队到边境耀武扬威，又用财物笼络闽越、西瓯、骆越等部落，让他们都归附南越，将自己控制的区域从东到西扩大一万多里。之后赵佗竟然乘坐黄屋左纛车，自称皇帝，同汉朝天子地位同等。

三

【原文】

佗孙胡为南越王。此时闽越王郢兴兵击南越边邑，胡使人上书曰：“两越俱为籓臣，毋得擅兴兵相攻击。今闽越兴兵侵臣，臣不敢兴兵，唯[1]天子诏之。”于是天子多[2]南越义，守职约，为兴师，遣两将军[3]往讨闽越。兵未逾岭，闽越王弟馀善杀郢以降，于是罢兵。

【注释】

①唯：希望。

②多：指称赞。

③两将军：指王恢、韩安国。

【译文】

赵佗的孙子赵胡被封为南越王。这时，闽越王郢挑起战争发兵攻打南越边境的城镇，赵胡派人给汉天子上书说：“南越和闽越都是汉朝的藩臣，不可能擅自发兵互相攻打。现在闽越发兵侵袭臣，臣不敢发兵反抗，希望天子下诏书来解决这件事。”于是天子称赞南越有忠义之举，遵守职责和盟约，就为他们出兵，派遣两位将军去征讨闽越。然而汉军还未翻过阳山岭，闽越王的弟弟馀善已经杀了郢，他的部下投降了汉朝，于是中止了征讨行动。

四

【原文】

天子使庄助往谕[1]意南越王，南越王胡顿首曰：“天子乃为臣兴兵讨闽越，死无以报德！”遣太子婴齐入宿卫[2]。谓助曰：“国新被寇[3]，使者行矣。胡方日夜装入见[4]天子。”助去后，其大臣谏胡曰：“汉兴兵诛郢，亦行以惊动南越。且先王昔言，事天子期[5]无失礼，要之不可以说[6]好语入见。入见则不得复归，亡国之势也。”于是胡称病，竟不入见。后十余岁，胡实病甚，太子婴齐请归。胡薨[7]，谥[8]为文王。

【注释】

①谕：说清楚，说明白。

②宿卫：宫中侍卫。

③被寇：遭到侵害。

④入见：朝见，朝拜。

⑤期：希望。

⑥说（yuè）：喜欢。

⑦薨（hōng）：去世，死的意思。

⑧谥：古时君王和高官去世后，依据他生平事迹所加封给他的称号。

【译文】

汉天子命令庄助去向南越王说明朝廷的用意，赵胡立刻叩首说："天子是为了臣才起兵征讨闽越的，即便臣死了都无法回报天子的恩惠！"于是赵胡便命太子婴齐去朝廷充任宿卫。他还对庄助说："国家刚刚遭遇敌人入侵，请使者提前离开吧。赵胡已经在日夜准备行装前往京城朝拜天子。"庄助离开之后，他的大臣便向赵胡进谏说："汉朝起兵去诛杀郢，也是借此行动来警告南越。况且先王以前说过，侍奉天子的时候希望别失礼，最重要的是不能因为喜欢听使者的好话就去朝拜天子。若是去朝拜天子就不能回来了，这便是亡国的局面啊。"于是赵胡借生病为由，最终也没去朝拜汉天子。十多年过去了，赵胡病得很重，太子婴齐申请回国。赵胡死后，谥号为文王。

五

【原文】

婴齐代立，即藏其先武帝玺[①]。婴齐其入宿卫在长安时，取[②]邯郸樛氏女[③]，生子兴。及即位，上书请立樛氏女为后，兴为嗣[4]。汉数使使者风谕婴齐，婴齐尚乐[5]擅杀生[6]自恣，惧入见要用汉法，比内诸侯[7]，固[8]称病，遂不入见。遣子次公入宿卫。婴齐薨，谥为明王。

【注释】

①玺：皇帝的印章。"藏玺"是指去掉私自所称帝号的意思，表示不再称帝。

②取：通"娶"。

③樛（jiū）氏女：樛姓人家的女儿。

④嗣：子嗣，指继承王位的人。

⑤尚乐：喜欢，喜好。

⑥杀生：这里指杀人的意思。

⑦内诸侯：内地的诸侯。

⑧固：通"故"。

【译文】

婴齐代立成为南越王之后，便把祖先武帝的印玺收藏起来，不再称帝了。婴齐到长安当宿卫时，娶了邯郸樛家的女儿做夫人，后来生了个儿子叫赵兴。等到他即位为王，就上书汉天子，请求册立妻子樛氏为王后，赵兴为太子。汉朝多次派使臣婉转劝告婴齐朝见天子，婴齐喜欢掌握生杀大权，害怕朝见天子后会比照内地的诸侯，施行汉朝的律令，因此借有病托辞，就没去朝见天子，只派儿子次公去朝廷做了宿卫。婴齐去世后，谥号为明王。

六

【原文】

元鼎五年秋，卫尉路博德为伏波将军，出桂阳，下汇水[1]；主爵都尉杨仆为楼船将军，出豫章，下横浦[2]；故归义越侯二人为戈船、下厉将军，出零陵，或[3]下离水，或抵苍梧；使驰义侯因巴蜀罪人，发夜郎[4]兵，下牂[5]柯江：咸[6]会番禺。

【注释】

①汇水：古代水的名称。地理上说桂阳有汇水，通四会。可作“淮”字。

②横浦：地名。

③或：有的人。

④夜郎：古代西南夷中最大的一支兵。

⑤牂（zāng）：古水名。

⑥咸：全，都。

【译文】

元鼎五年秋季，卫尉路博德被任命为伏波将军，率领众兵从桂阳出发，直达汇水；主爵都尉杨仆是楼船将军，从豫章出发，直入横浦；原来归降汉朝而被封侯的两个南越人担任戈船将军、下厉将军，他们率领众将离开零陵，然后兵分两路，一个人直下离水，一个人则直达苍梧；使驰义侯带领巴蜀地区被释放的罪人，并调动夜郎的兵士，直下牂柯江。最后会师于番禺。

七

【原文】

自尉佗初王后，五世[1]九十三岁而国亡焉。

太史公曰：尉佗之王，本由任嚣。遭汉初定，列为诸侯。隆虑离湿疫，佗得以益骄。闽越相攻，南越动摇。汉兵临境，婴齐入朝。其后亡国，征自樛女；吕嘉小忠，令佗无后。楼船从欲，怠傲失惑；伏波困穷，智虑愈[2]殖，因祸为福。成败之转，譬若纠墨[3]。

【注释】

①五世：指五代。

②愈：越发，更加。

③纠墨：像墨汁交织、纠结在一起，不断地正反转换、互相变化。

【译文】

自从赵佗称王后，传国五世共计九十三年，南越国便灭亡了。

太史公说："尉佗能够当上南越王，原本就是通过任嚣的提携与劝说取得的结果。又恰巧碰上汉朝的初定，他才被封为诸侯。隆虑侯率兵讨伐南越，正赶上酷暑潮湿的天气，士兵大多染上瘟疫，无法进军，这就导致赵佗变得狂妄自大。由于与闽越相互攻击，南越国的根基开始动摇。汉朝大军压境而来，南越国的太子婴齐只好去长安做了宿卫。后来南越国灭亡，征兆便是婴齐娶了樛氏女为妻。吕嘉的小小忠诚，导致赵佗断了王位继承人。楼船将军因为放纵欲望，逐渐变得怠惰骄傲，肆意惑乱。伏波将军大志不顺，而智谋思虑却愈发丰富，从而因祸得福。由此可见，成败之间的转换，犹如墨汁交织般无法预料。

东越列传

一

【原文】

闽越王无诸及越东海王摇者，其先[①]皆越王句践之后也，姓驺氏。秦已并[②]天下，皆废为君长，以其地为闽中郡。及诸侯畔秦，无诸、摇率越归鄱阳令吴芮，所谓鄱君者也，从诸侯灭秦。

当是之时，项籍主命，弗王，以故不附楚。汉击项籍，无诸、摇率越人佐汉。汉五年，复立无诸为闽越王，王闽中故地，都东冶。孝惠三年，举高帝时越功，曰闽君摇功多，其民便附，乃立摇为东海王，都东瓯，世俗号为东瓯王。

【注释】

①先：祖先。

②并：兼并，统一。

【译文】

闽越王无诸与越东海王摇，他们的祖先都是越王勾践的后裔，姓驺。当秦王朝兼并天下以后，都无不例外地废除了他们王的称号，降为君长，还把他们所处的地方设成了闽中郡。在秦始皇的残酷统治下，各地诸侯纷纷反秦，无诸与摇带领越人归降到鄱阳县令吴芮的麾下，这个人就是人们所说的鄱君，他与各地诸侯一起，共同消灭了秦王国。

在那个时候，项籍掌控着诸侯，他能向各地诸侯发布命令，没有把无诸与摇两人立为王，也是这个原因，无诸和摇没有归附楚王。在汉王攻打项籍时，无诸与摇带领越人归附汉王，辅佐汉王成就大业。汉王五年（公元前202年），无诸被封为闽越王，在闽中一带称王，都城建在东冶。孝惠帝三年（公元前192年），朝廷在列举了高帝时越人的功绩后，认为闽君摇功不可没，越地的百姓也表示出了愿意归附的决心，于是闽君摇成了东海王，都城建在东瓯，世人称他为“东瓯王”。

二

【原文】

至建元六年，闽越击南越。南越守天子约，不敢擅发兵击而以闻。上遣大行王恢出豫章，大农韩安国出会稽，皆为将军。兵未逾岭[1]，闽越王郢发兵距险。其弟馀善乃与相、宗族谋曰：“王以擅发兵击南越，不请，故天子兵来诛。今汉兵众强，今即幸胜之，后来益多，终灭国而止。今杀王以谢天子。天子听，罢兵，固一国完；不听，乃力战；不胜，即亡入海。”皆曰：“善。”即鏦[2]杀王，使使奉其头致大行。大行曰：“所为来者诛王。今王头至，谢罪，不战而耘，利莫大焉。”乃以便宜案兵告大农军，而使使奉王头驰报天子。诏罢两将兵，曰：“郢等首恶，独无诸孙繇君丑不与谋焉。”乃使郎中将立丑为越繇王，奉闽越先祭祀。

【注释】

①岭：阳山岭。

②鏦（cōng）：古代的一种小矛。

【译文】

到了建元六年（公元前135年），闽越率领大军攻打南越。当时，南越遵从汉天子的条件约束，没有主动发兵进行回击，只是先把这件事报告了天子。天子得知这个消息后，派大行令王恢带兵从豫章出兵，而大司农韩安国从会稽出兵，他们都被任命为大将军。只是，他们率领的军队尚未翻越阳山岭，闽越王郢便率先派出了精锐士兵守在险要之地，以此来对抗强大的汉军。当时，闽越王郢有一个弟弟叫馀善，他与丞相和宗族的人商量着说：“我们大王由于擅自出兵攻打南越，事先没向天子汇报，因此，天子派军队前来讨伐。现在，汉朝的军队众多，力量强大，若是侥幸打败了他们，日后天子定然会派更多、更强大的军队来，直至把我们这个国家消灭，他才会罢休。如今要是我们先把大王杀了，向天子谢罪，如果天子接受我们的请求，到时就能化干戈为玉帛，使我们的国家完好地保存下来。如果天子不理会我们的诚意，那我们再一马当先、奋力交战，假若无法取胜，我们就入海逃生。”经过商议，大家都说：“是个好主意！”接着他们就拿铁把小矛把闽越王郢杀死，并派遣使者带着他的头颅快马加鞭交给了大行令王恢。王恢看到闽越王郢的头颅后，说：“我大汉军前去就是为了讨伐闽越王，既然他的头颅已经送到，那么闽越也算用诚意谢罪了，双方就不存在交战的事情了，没有哪种做法能比这样做有更大的好处了。”于是，就以灵活方式避免了战争，还把相关决议告诉了大司农韩安国，做完这些，又派遣使者带着闽王郢的头颅急驰到长安，以报告天子实情。天子了解此事后，就下了一道诏书，大意是要求王恢与韩安国带领的军队立刻停止战争，说：“闽越王郢等人带头作恶，只有无诸之孙繇君丑没有参与。”于是天子派遣郎中封繇君丑为越繇王，继承闽越国王位。

三

【原文】

元鼎六年秋，馀善闻楼船请诛之，汉兵临境①，且往，乃遂反，发兵距汉道。号将军驺力等为“吞汉将军”，入白沙、武林、梅岭，杀汉三校尉。是时汉使大农张成、故山州侯齿将屯，弗敢击，却就便处，皆坐畏懦诛②。

【注释】

①境：边境。

②诛：被杀。

【译文】

元鼎六年秋，馀善听说楼船将军请求去讨伐他，并且汉军已逼入东越的边境，马上就要攻打过来了，于是，他选择了造反，派人在汉军必经的途中以作抵抗。此外，他还加封驺力等人将军名目，即“吞汉将军”，当汉朝的大军挺进白沙、武林、梅岭时，他们杀掉了汉朝大军的三个校尉。也是这个时候，汉朝派遣大农张成、原山州侯刘齿带领军队驻扎在这里，但他们不敢攻打东越，只是退到安全地带，后来，他们都因畏军怯懦而被问罪杀掉。

四

【原文】

于是天子曰东越狭多阻，闽越悍，数反覆[①]。诏军吏皆将其民徙处江淮间。东越地遂虚[②]。

太史公曰：越虽蛮夷，其先岂尝有大功德于民哉，何其久也！历数代常为君王，句践一称伯。然馀善至大逆，灭国迁众，其先苗裔繇王居股等犹尚封为万户侯，由此知越世世为公侯矣。盖[③]禹之馀烈也。

【注释】

①反覆：指反复无常。

②虚：空虚之地。

③盖：大约，大概。

【译文】

汉天子认为东越之地地形狭小，且存在诸多险阻，闽越地区的人颇为强悍，有着反复无常的个性。因此，下令让将军们率领所有的东越百姓一同迁到江淮地区居住。于是，东越之地变成空虚地带。

太史公说：东越虽然是蛮夷，难道他的先祖没有对百姓做过伟大贡献，积累很大功德吗？否则的话，为什么世代相传，会延续那么长时间呢？经历了几代君王的更替后，勾践一度跃身称霸。可是，馀善却做出犯上作乱的糊涂事，使得国家元气大伤，百姓不得不迁徙他乡。东越祖先的后世子孙繇王居股等人还有幸被封为万户侯，从这一点上可以看出，东越的世代子孙都做着公侯。这也许是大禹所留下的功业吧。

朝鲜列传

一

【原文】

朝鲜王满者，故燕人也。自始全燕时尝略属①真番、朝鲜，为置吏，筑鄣塞②。秦灭燕，属辽东外徼。汉兴，为其远难守，复修辽东故塞，至浿水为界，属燕。燕王卢绾③反，入匈奴，满亡命，聚党千余人，魋结蛮夷服而东走出塞，渡浿水，居秦故空地上下鄣，稍役属真番、朝鲜蛮夷及故燕、齐亡命者王之，都④王险。

【注释】

①略属：占领为属地。

②鄣（zhāng）塞：指秦汉边塞险要处用于防御的小城，是边城派出的鄣尉所在的地方。

③卢绾：沛丰邑人，异姓诸侯王。

④都：都城。

【译文】

朝鲜王卫满，原先是燕国人。起初，朝鲜王卫满在燕国国势非常强盛的时候，曾经攻取真番、朝鲜等地，让这些地区全部成了燕国的附属国，同时还在那里设置了官吏，并在边塞修筑城堡，防御外敌的入侵。燕国被秦国灭掉之后，朝鲜成了辽东郡以外的边界国家。汉朝建立之后，由于朝鲜离中央比较远，防守非常困难，于是就对辽东郡的旧关塞重新进行了修整，边界一直到了浿水边上，仍在燕国的管辖范围之内。后来燕王卢绾举兵反叛，跑到了匈奴。朝鲜王卫满也一直在外逃亡，他们一起聚集了一千多同伙，全部梳着椎形的发髻，并身穿蛮夷的服装，向东方一直走到了关塞之外，然后渡过浿水，在原来秦国的上下鄣居住下来。这是一个非常空旷的地方，他们开始慢慢奴役真番、朝鲜蛮夷还有原先从燕国和齐国逃出来的流亡者，让这些人全部归附了自己，然后称王，并在王险建立都城。

二

【原文】

会孝惠、高后时天下初定，辽东太守即约满为外臣①，保塞外蛮夷，无使盗边②；诸蛮夷君长③欲入见天子，勿得禁止。以闻，上许之，以故满得兵威财物侵降④其旁小邑，真番、临屯皆来服属⑤，方数千里。

【注释】

①外臣：古代指藩属。

②盗边：侵犯边境。

③君长：部落的首领。

④侵降：侵入而使降服。

⑤服属：顺从归属。

【译文】

汉惠帝和高后时期，国家刚刚安定下来，辽东郡的太守就和卫满约定做汉朝的外臣，以便对关塞以外的蛮夷之地进行镇抚，防止他们越过边境对百姓进行骚扰和侵夺；如果这些蛮夷的首领想要前来觐见天子，不得阻止。辽东太守就将这种情况禀告给了天子，天子对此表示同意。因此，卫满才能够凭借他的兵威和财物去掠夺侵犯周围的小国家，真番、临屯都纷纷前来投奔，使卫满的管辖范围达到了方圆数千里。

三

【原文】

传子至孙右渠，所诱汉亡人滋多，又未尝①入见；真番旁众国欲上书见天子，又拥阏②不通。元封二年，汉使涉何谯谕③右渠，终不肯奉诏。何去至界上，临浿水，使御④刺杀送何者朝鲜裨王长，即渡，驰入塞，遂归报天子曰“杀朝鲜将”。上为其名美，即不诘⑤，拜何为辽东东部都尉。朝鲜怨何，发兵袭攻杀何。

【注释】

①未尝：未曾，不曾。

②拥阏：壅塞，阻滞。

③谯谕：责问并晓谕。

④御：指驾车的车夫。

⑤诘（jié）：追问，责问。

【译文】

王位传到卫满孙子右渠手中的时候，被朝鲜吸引，前来归附的汉人日渐增多，但是右渠又从没觐见过汉朝的天子。真番周围的很多小国都纷纷上书，要求拜见汉朝天子，但是因为被朝鲜阻塞，没有办法让天子知道这个情况。元封二年（公元前109年），汉朝派涉何对右渠进行责备和通告，但是右渠一直都不愿意接受汉朝的诏命。涉何离开朝鲜之后来到了边境上，临近浿水时，涉何就命令车夫刺杀了前来护送自己的朝鲜小王，之后就立即渡过了浿水，一路奔驰回到汉朝边塞。他回到京城之后对天子报告说：“我杀了朝鲜的一个将军。”天子觉得他拥有杀死朝鲜将军的美名，就没有对这件事情过多追究，还任命他为辽东东部都尉。朝鲜对涉何的怨恨积压了很久，终于派遣军队进行偷袭，并把涉何给杀了。

四

【原文】

天子募罪人击朝鲜。其秋，遣楼船将军杨仆①从齐浮渤海；兵五万人，左将军荀彘②出辽东：讨右渠。右渠发兵距险。左将军卒正多率辽东兵先纵，败散，多还走，坐法斩。楼船将军将齐兵七千人先至王险。右渠城守，窥知③楼船军少，即出城击楼船，楼船军败散走。将军杨仆失其众，遁④山中十余日，稍求收散卒，复聚。左将军击朝鲜浿水西军，未能破自前。

天子为两将未有利，乃使卫山因兵威往谕右渠。右渠见使者顿首⑤谢："愿降，恐两将诈杀臣；今见信节⑥，请服降。"遣太子入谢，献马五千匹，及馈军粮。人众万余，持兵，方渡浿水，使者及左将军疑其为变，谓太子已服降，宜命人毋持兵。太子亦疑使者左将军诈杀之，遂不渡浿水，复引归。山还报天子，天子诛山。

左将军破浿水上军，乃前，至城下，围其西北。楼船亦往会，居城南。右渠遂坚守城，数月未能下。

【注释】

①杨仆：西汉名将，其东移函谷关和南下平叛的壮举千古流传。

②荀彘：汉武帝年间将领。

③窥知：探知，侦悉。

④遁：隐，消失。

⑤顿首：指磕头。古代汉族的一种交际礼仪。跪拜礼之一，为正拜。以头叩地即举而不停留。

⑥信节：使者所持的符节印信。

【译文】

汉朝天子招募一些被赦免罪过的人对朝鲜发动进攻。元封二年秋天，汉朝派遣楼船将军杨仆带领五万大军，从齐地出发，乘船穿过渤海；左将军荀彘则率领军队从辽东郡出发，讨伐右渠。右渠于是派遣精兵驻守在险要之地，以抵御汉朝军队的进攻。左将军名唤多的卒正一开始就率领辽东的精兵进击敌人，但是因为战败而走散了，卒正多也逃跑了，后来因触犯军规被杀。楼船将军带领七千人，第一个到达了王险城。右渠守城，听说楼船将军军队的人非常少，于是派兵出城攻打楼船将军，楼船将军因此而战败，仓皇四散逃跑。杨仆将军丢失了自己的军队，在山中躲藏了十多天，才慢慢找回一些残兵败卒，并把这些将士重新进行整合。左将军荀彘对浿水西边驻守的朝鲜军队进行了攻击，但是依旧没有获得成功。

天子知道这两位将军没有获得战役胜利之后，就派卫山凭借汉朝的军威前去劝说右渠。右渠见到前来的汉朝使者，连忙叩头谢罪，说："我愿意投降，但是我害怕杨仆、荀彘这两位将军会通过一些欺诈的手段将我杀死。现在我看到了表示诚信的符节，请允许我们归附。"于是右渠就派太子去往汉朝谢罪，并献上了五千匹马，之后又给驻扎在朝鲜的汉军送去了军粮。当时正好有一万多朝鲜百姓，手中握着兵器，打算渡过浿水，使者和左将军都担心朝鲜人会叛变，就说他们的太子已经归附了汉朝，下令让他们不要带着武器。太子也对汉朝的使者和左将军产生了怀疑，担心他们要通过欺骗的方法来杀害自己，于是放弃了渡河的打算，率领朝鲜百姓直接返回了。卫山返回京城之后将这件事情告诉了天子，天子将卫山给杀了。

左将军打败了盘踞在浿水之上的朝鲜军队后，继续前进，一直到了王险城下，将王险城的西北面包围了起来。楼船将军也率军前去会合，将军队驻扎在城的南面。右渠在王险城坚守着，经过了好几个月汉军也没有将王险城拿下。

五

【原文】

左将军征至，坐争功相嫉，乖计，弃市[①]。楼船将军亦坐兵至洌口，当待左将军，擅先纵，失亡多，当诛，赎为庶人[②]。

【注释】

①弃市：死刑的一种。

②庶人：指平民百姓。

【译文】

左将军被召回京城，因争夺战功而产生了嫉妒之心，又因违反了作战计划，他被处以弃市之死刑。楼船将军也因为擅自对敌人发起了进攻，导致人员伤亡数量急剧上升，因此被判处死刑，但他通过钱财，使自己免除死刑，成为一个普通百姓。

西南夷列传

一

【原文】

西南夷君长以什数，夜郎最大；其西靡莫之属以什数，滇最大；自滇以北君长以什数，邛都最大：此皆魋结[①]，耕田，有邑聚。其外西自同师以东，北至楪榆，名为嶲、昆明，皆编发，随畜迁徙，毋常处，毋君长，地方可数千里。自嶲以东北，君长以什数，徙、筰都最大；自筰以东北，君长以什数，冉、駹最大。其俗或土箸，或移徙，在蜀之西。自冉駹以东北，君长以什数，白马最大，皆氐类也。此皆巴蜀西、南外蛮夷也。

【注释】

①魋结（zhuī jì）：结成发髻。魋，发髻。

【译文】

西南夷有几十个少数民族部落，其中，夜郎所拥有的势力是最大的。夜郎往西是靡莫之夷，有几十个少数民族部落，滇是其中最大的一股势力。从滇向北，也有几十个少数民族部落，邛都的势力最大。那些部落的人头上都梳着椎髻，以种田为生，有聚居形成的城镇村落。在他们的西边从同师向东，直到北边的楪榆，这一片地区被称为嶲、昆明，这里的人们都把头发结成辫子的形状，跟随牲口而到处迁徙，没有固定的居所，也没有君长，他们生活的区域范围有几千里。从嶲向东北，也有几十个部落，徙和筰都是强大的势力。从筰往东北去，又有几十个部落，冉和駹势力最为强大。这里的风俗是，有一部分属于定居之民，有一部分属于移徙之民，他们全部生活在蜀郡的西边。从冉和駹往东北去，还有几十个部落，其中白马势力最大，全都属于氐族。这些都是巴郡、蜀郡西南以外的少数民族部落。

二

【原文】

始楚威王时，使将军庄蹻将兵循江上；略巴、黔中以西。庄蹻者，故楚庄王苗裔①也。蹻至滇池，方三百里，旁平地，肥饶数千里，以兵威定属楚。欲归报，会秦击夺楚巴、黔中郡，道塞不通，因还，以其众王滇，变服，从其俗，以长之。秦时常頞略通五尺道，诸此国颇置吏焉。十余岁，秦灭。及汉兴，皆弃此国而关蜀故徼[2]。巴蜀民或窃出商贾[3]，取其筰马、僰僮[4]、髦牛，以此巴蜀殷富。

【注释】

①苗裔：子孙后代。

②故徼（jiǎo）：故塞，指关塞。

③商贾：古代对商人的称呼，释为行商坐贾，行走贩卖货物为商，住着出售货物为贾，二字连用，泛指做买卖的人。

④僰僮（bó tóng）：僰族的奴隶。

【译文】

最初在楚威王的时候，曾经派遣将军庄跻率领大军沿着长江而上，攻占巴郡、蜀郡和黔中郡以西的大部分地区。庄跻是楚庄王的后人。庄跻到了滇池之后，发现这里方圆有三百里，周围都是几千里平坦肥沃的土地。庄跻率领军队收复了这片土地，从而使它成为楚国的领土。庄跻想要向楚王禀报这件事情，但是这个时候，正好遇到秦国出兵攻打楚国，并夺取了楚国巴郡、黔中郡等大片地区，就连道路都被阻挡，没有办法正常通行，所以庄跻不得以又返回滇池地区，借助军队的力量，成为滇王，并改变服饰，在尊重当地习俗的情况下，做了这个地区的统治者。秦朝的时候，常頞曾经大略地开通了五尺道，还设立了很多官吏。经过十几年的时间，秦朝灭亡了。等到汉朝建立之后，就将这些国家全都抛弃了，反而将原先蜀郡的边界当作关塞。生活在巴郡和蜀郡的百姓，就有人开始暗中到塞外做买卖，以换取筰国的马，僰国的僮仆与牦牛，所以，巴、蜀这两个地方都非常富有。

三

【原文】

建元六年，大行王恢击东越，东越杀王郢以报。恢因兵威使番阳令唐蒙风指晓南越。南越食蒙蜀枸酱，蒙问所从来，曰“道西北牂柯，牂柯江广数里，出番禺城下”。蒙归至长安，问蜀贾人[①]，贾人曰：“独蜀出枸酱，多持窃出市夜郎。夜郎者，临牂柯江，江广百馀步，足以行船。南越以财物役属夜郎，西至同师，然亦不能臣使也。”蒙乃上书说上曰：“南越王黄屋左纛[②]，地东西万余里，名为外臣，实一州主也。今以长沙、豫章往，水道多绝，难行。窃闻夜郎所有精兵，可得十余万，浮船牂柯江，出其不意，此制越一奇也。诚以汉之强，巴蜀之饶，通夜郎道，为置吏，易甚。”上许之。乃拜蒙为郎中将，将千人，食重[③]万余人，从巴符关入，遂见夜郎侯多同。蒙厚赐，喻以威德，约为置吏，使其子为令。夜郎旁小邑皆贪汉缯帛[④]，以为汉道险，终不能有也，乃且听蒙约。还报，乃以为犍为郡。发巴蜀卒治道，自僰道指牂柯江。蜀人司马相如亦言西夷邛、筰可置郡。使相如以郎中将往喻，皆如南夷，为置一都尉，十余县，属蜀。

【注释】

①贾人：指商人。

②黄屋左纛（dào）：指帝王坐的车子。黄屋，古代皇帝的车盖。纛，古代行军中或重要典礼上的大旗。

③食重：指装载粮食等辎重的车。

④缯（zēng）帛：丝绸的统称。

【译文】

汉武帝建元六年（公元前135年），大行王恢对东越地区发起攻击，作为对汉朝的回报，东越杀死东越王郢。王恢依靠军队的威名，派遣番阳县令唐蒙将汉朝想要出兵的意图，婉转地告诉了南越。南越人拿出蜀郡出产的枸杞酱送给唐蒙，要他品尝一下，唐蒙很奇怪，就询问他们这是从哪里得来的，南越人说:“从西北牂柯江那里得到的，牂柯江的江宽足足有好几里，一直流到了番禺城的脚下。”唐蒙返回到长安之后，就针对这件事情询问了蜀郡的商人，可是商人们却说:“枸杞酱只有蜀郡有，很多当地的人们，都拿着枸杞酱偷偷贩卖到夜郎地区，夜郎挨着牂柯江，江的宽度有数百步，船完全可以行驶。南越人想通过财物让夜郎成为自己的归属地区，他的势力一直延伸到了西边的同师，但是却没有让夜郎向自己称臣。”于是，唐蒙呈上了一封奏折，劝汉武帝说:“南越王乘坐黄屋车，车上还插满了左纛旗子，他管辖的土地有一万多里，虽然在名义上属于外臣，但是实际上却成了一方之主。如今我们从长沙和豫章郡出发，水路纵横，没有办法通行。我听说夜郎的精兵有十多万，军队乘船沿着牂柯江顺流而下，趁着他们不注意的时候进行攻击，是制伏他们的好办法。如果能够充分利用我们的强大和巴、蜀的富饶，将通往夜郎的通道打通，并在那里设置官吏，是非常容易的。”汉武帝对唐蒙的建议表示赞同，于是就任命他为郎中将，亲自率领军队一千多人，还有负责运送粮食、辎重的人员一共一万多人，从巴符关出发，到达夜郎，并拜见了夜郎的头领多同。唐蒙给了多同很多奖赏，并用汉朝的武威和恩德对他进行说服，承诺他只要同意设置官吏，就让他的儿子做夜郎的县令。居住在夜郎周边小镇的人们，对汉朝的丝绸布帛等都心存向往，都认为从汉朝到夜郎之间的道路充满险阻，没有办法占领自己，于是就暂时接受了唐蒙的盟约。唐蒙返回都城之后，向汉武帝禀报了这件事情，于是汉武帝下令将夜郎改设为犍为郡。此后，还派遣了大量的巴、蜀兵士修建道路，一直从僰直修到了牂柯江。蜀郡人司马相如也对汉武帝说，西夷地区的邛、筰等都可以设置郡县，于是汉武帝就任命司马相如为郎中将，并派他去西夷，将朝廷的意思明确告诉当地头领，朝廷对待他们的方式和南夷是一样的，会设置一个都尉、十几个县，这些全部都属于蜀郡的范围。

四

【原文】

当是时，巴蜀四郡通西南夷道，戍转相饷。数岁，道不通，士罢饿离湿，死者甚众；西南夷又数反，发兵兴击，秏费①无功。上患之，使公孙弘往视问焉。还对，言其不便。及弘为御史大夫②，是时方筑朔方以据河逐胡，弘因数言西南夷害，可且罢，专力事匈奴。上罢西夷，独置南夷夜郎两县一都尉，稍令犍为自葆就③。

【注释】

①秏（hào）费：指消耗。

②御史大夫：官名。秦代始置，负责监察百官，代表皇帝接受百官奏事，管理国家重要图册、典籍，代朝廷起草诏命文书。

③葆就：保卫城池，修成郡县。葆，通“保”。

【译文】

当时，巴郡、蜀郡、广汉郡、汉中郡都开通了通往西南夷的道路，在边境地区戍边的将士，还有往来运送物资和军粮的人数量也很多。经过几年的时间，道路竟然还没有修好，士卒因为劳累饥饿和潮湿生病而死的有很多，再加上西南少数民族多次进行侵犯，朝廷派遣规模庞大的军队去对抗，也消耗了大量的财力和人力，但是没有取得可观的成绩。汉武帝对此非常担忧，就派遣公孙弘亲自去对这件事情进行观察和询问。公孙弘返回都城之后，就对汉武帝禀报说形势非常不利。后来，公孙弘做御史大夫时，汉王朝正在修筑朔方郡城，希望可以将黄河作为屏障，驱逐匈奴，公孙弘就趁着这个机会，多次上书向汉武帝陈述开发西南夷可能带来的弊端，可以暂时停止西南夷的开发事宜，集中力量对付匈奴。汉武帝觉得很有道理，于是就下令停止了在西夷的所有活动，只是在南夷的夜郎设立了两个郡县和一个都尉，命令犍为郡保留建制，慢慢发展。

五

【原文】

滇王与汉使者言曰："汉孰与我大？"及夜郎侯亦然。以道不通故，各自以为一州主，不知汉广大。使者还，因盛言[①]滇大国，足事亲附。天子注意焉。

及至南越反，上使驰义侯因犍为发南夷兵。且兰君恐远行，旁国虏其老弱，乃与其众反，杀使者及犍为太守。汉乃发巴蜀罪人当击南越者八校尉击破之。会越已破，汉八校尉不下，即引兵还，行诛且兰。且兰，常隔滇道者也。已平且兰，遂平南夷为牂柯郡。夜郎侯始倚南越，南越已灭，会还诛反者，夜郎遂入朝。上以为[②]夜郎王。

【注释】

①盛言：极力申说。

②以为：作为，任命为。

【译文】

滇王对汉朝的使者说："汉朝和我的国家相比较，哪一个更大一些呢？"汉朝使者到了夜郎之后，夜郎的部落首领也问了一样的问题，这是因为双方之间的道路不畅通，都认为自己是一州的主人，没有见识过汉王朝的广大。汉朝的使者返回都城之后，就竭力说滇是个大国，值得归附到汉朝。汉武帝开始留心这件事情。

后来，等到南越举兵反叛的时候，汉武帝就派遣驰义侯以犍为郡的名义，对南夷地区的军队进行征调，这时且兰部落的头领担心军队远距离奔袭后，周围的国家会乘机对他的百姓进行掳掠，于是就谋反，将汉朝的使者和犍为郡太守都杀了。汉朝知道这件事情之后，就派遣巴郡和蜀郡的罪人和准备派往南越作战的八个校尉，前去攻打且兰，很快就把且兰给攻下了。这个时候，南越已经被攻破，汉朝的八个校尉还没有南下，就被下令率领军队撤回，他们在这个过程中把且兰给灭掉了。且兰曾是阻挡汉朝和滇国交通道路的国家。等到且兰被平定后，很快就平定了南夷，并在那里设立了牂柯郡。夜郎的头领在这种形式下，投靠了南越，南越被消灭之后，正巧遇到了汉军在诛杀反叛人员，于是夜郎的头领就直接到了都城觐见皇帝。汉武帝将他封为夜郎王。

六

【原文】

南越破后，及汉诛且兰、邛君，并杀筰侯，冉駹皆振恐[1]，请臣置吏。乃以邛都为越巂郡，筰都为沈犁郡，冉駹为汶山郡，广汉西白马为武都郡。

【注释】

①振恐：因受惊而恐慌害怕。

【译文】

南越被攻破之后，汉王朝杀了且兰君、邛君，还杀了筰侯，冉駹等地的头领，当地人们对这件事情都感到害怕，于是主动向汉朝俯首称臣，请求朝廷在他们那里设置官吏。于是，汉朝就下令将邛都设置成越巂郡，筰都改为沈犁郡，冉駹改为汶山郡，广汉西边的白马则改为武都郡。

七

【原文】

西南夷君长以百数，独夜郎、滇受王印。滇小邑，最宠焉。

太史公曰：楚之先岂有天禄[1]哉？在周为文王师，封楚。及周之衰，地称五千里。秦灭诸侯，唯楚苗裔尚有滇王。汉诛西南夷，国多灭矣，唯滇复为宠王。然南夷之端，见枸酱番禺，大夏杖邛竹。西夷后揃，剽分[2]二方，卒为七郡。

【注释】

①天禄：指上天赐予的禄位。

②剽分：划分，分割。

【译文】

西南地区的少数民族有一百多个，但是只有夜郎和滇的君长最终获得了汉朝颁发的王印。虽然滇只是一个小城，却最受汉朝的宠遇。

太史公说：楚国的祖先们难道拥有上天赐给的禄位吗？周朝的时候，楚国的先祖鬻熊是周文王的老师，之后在周成王的封赏之下，到了楚地，从而建立了国家。等到周朝衰败的时候，楚国的领土达到了五千里。等到秦国诛灭诸侯的时候，单单没有对楚国的后代和滇王实施灭亡的政策。汉朝在诛杀西南夷的时候，大部分都被消灭了，但是唯独滇王受到偏爱。然而，平定南夷是从番禺见到蜀地产的枸杞酱、大夏的邛竹杖后开始的。西夷之后被分割，分成了西夷、南夷两个部分，最终被设成了七个郡县。

司马相如列传

一

【原文】

司马相如者，蜀郡成都人也，字长卿。少时好读书，学击剑，故其亲名之曰犬子。相如既学，慕蔺相如之为人，更名相如。以赀为郎[①]，事孝景帝，为武骑常侍[②]，非其好也。会景帝不好辞赋，是时梁孝王来朝，从游说之士[③]齐人邹阳、淮阴枚乘、吴庄忌夫子之徒，相如见而说之，因病免，客游梁。梁孝王令与诸生同舍，相如得与诸生游士居数岁，乃著《子虚之赋》。

【注释】

①以赀（zī）为郎：因家富资财而被朝廷任为郎官。后称出钱捐官的人为“赀郎”。赀，通“资”。

②武骑常侍：官职名，无定员。

③游说之士：指说客。

【译文】

司马相如是蜀郡成都人，字长卿。司马相如小时候就很喜欢读书，同时也对剑术有所涉及，于是他的父母就为他取名为犬子。司马相如上学以后，很仰慕蔺相如的为人，于是就将名字改为相如。最初，司马相如因为家中财富殷实，被任命为郎官，侍奉孝景帝，后来，担任武骑常侍，但是这些却不是他所喜欢的。当时，汉景帝不喜欢辞赋，正好梁孝王朝见景帝时，跟随他前来的人，都很善于游说，这些人有齐郡人邹阳、淮阴人枚乘、吴人庄忌等。司马相如看到他们这些人就非常喜欢，于是，他以生病为借口辞掉官职，旅居在梁国。梁孝王就安排司马相如和这些读书人住在一起，司马相如和这些读书人、游说之士相处了好些年，之后便创作了《子虚之赋》。

二

【原文】

会梁孝王卒，相如归，而家贫，无以自业。素与临邛令王吉相善[1]，吉曰："长卿久宦游[2]不遂，而来过我。"于是相如往，舍都亭。临邛令缪为恭敬，日往朝相如。相如初尚见之，后称病，使从者谢吉，吉愈益谨肃[3]。临邛中多富人，而卓王孙家僮八百人，程郑亦数百人，二人乃相谓曰："令有贵客，为具召之。"并召令。令既至，卓氏客以百数。至日中，谒司马长卿，长卿谢病[4]不能往，临邛令不敢尝食，自往迎相如。相如不得已，强往，一坐尽倾。酒酣，临邛令前奏琴曰："窃闻长卿好之，愿以自娱。"相如辞谢，为鼓一再行。是时卓王孙有女文君新寡，好音，故相如缪与令相重，而以琴心挑之。相如之临邛，从车骑，雍容闲雅甚都；及饮卓氏，弄琴，文君窃从户窥之，心悦而好之，恐不得当也。既罢，相如乃使人重赐文君侍者通殷勤。文君夜亡奔相如，相如乃与驰归成都。家居徒四壁立。卓王孙大怒曰："女至不材，我不忍杀，不分一钱也。"人或谓王孙，王孙终不听。文君久之不乐，曰："长卿第俱如临邛，从昆弟[5]假贷犹足为生，何至自苦如此！"相如与俱之临邛，尽卖其车骑，买一酒舍酤酒[6]，而令文君当炉。相如身自着犊鼻裈[7]，与保庸[8]杂作，涤器于市中。卓王孙闻而耻之，为杜门不出。昆弟诸公更谓王孙曰："有一男两女，所不足者非财也。今文君已失身于司马长卿，长卿故倦游，虽贫，其人材足依也，且又令客，独奈何相辱如此！”卓王孙不得已，分予文君僮百人，钱百万，及其嫁时衣被财物。文君乃与相如归成都，买田宅，为富人。

【注释】

①相善：彼此交好。

②宦游：指士人外出求官或做官。宦，做官入仕。

③谨肃：谨慎恭肃。

④谢病：托病谢绝会客或自请辞职。

⑤昆弟：同昆仲，指兄和弟。

⑥酤（gū）酒：卖酒。

⑦犊鼻裈：短裤、无管裤。

⑧保庸：亦作“保佣”，受雇用的仆役。

【译文】

正好赶上梁孝王去世，司马相如只好返回成都。但是因为家境贫寒，没有可以帮助他维持生计的职业。司马相如和临邛县令王吉的私交一直很好，王吉就说：“长卿，长久以来，你都在外地，求取官职的事情也不是很顺利，你可以到我这里来。”于是，司马相如就前往临邛，在城内的一座小亭子中暂住。临邛县令假装对他非常恭敬，天天前去拜访他。刚开始，司马相如还会以礼相待，到了后来，他就借口生病，让自己的随从拒绝了王吉的拜访。但是，此后王吉却更加小心谨慎，也更加恭敬了。临邛县里有很多富人，像卓王孙家的家奴就有八百人，程郑家的家奴也有数百人。他们两人一起商量着说：“县令有贵客，我们就准备一席丰盛的酒菜，宴请这位贵宾。”同时，也请来了县令。当县令到达卓家的时候，宾客已经坐了上百人。到了中午，就派人前去邀请司马相如赴宴，但是他却借口有病推托，不肯前去赴宴。王吉见司马相如没有来，就不敢吃饭，中途还亲自去迎接司马相如。司马相如没有办法，只好来到卓家，在座的宾客对他的风采都非常仰慕。酒兴正浓的时候，王吉捧着琴，走到司马相如面前说:“我听说长卿特别喜欢弹琴，希望你能够大显身手，以助欢乐。”司马相如辞谢一番之后，就弹奏了一两支曲子。这个时候，卓王孙有个女儿叫文君，在不久前守了寡，非常喜欢听曲子，所以司马相如就假装和王吉互相敬重，希望通过琴声来诱发她的爱慕之情。司马相如到了临邛，车马都在他的后面跟随着，而他仪表堂堂，文静典雅，看起来落落大方。等到卓王孙家喝酒、弹奏琴曲的时候，卓文君就偷偷从门缝里看他，心生喜悦与爱慕，但是又害怕他不明白自己的心意。等到宴会结束之后，司马相如就委托别人赏了文君的侍者很多钱，希望可以通过这种方法来转达自己对她的倾慕之情。于是，卓文君趁着夜色逃了出来，和相如私会，于是相如就带着文君赶回了成都。回到成都后，家徒四壁。卓王孙得知女儿和司马相如私奔之后，非常生气，说道:“我的这个女儿真是不成器，但是我又不忍心伤害她，此后，我再也不会给她一个钱。”有人劝卓王孙不要这样，但是他并没有听取建议。过了很久，文君觉得不快乐，于是就问:“长卿，只要你愿意和我一起去临邛，就算是向兄弟们借贷，也可以过得很好，为什么要让自己生活得如此困苦呢！”于是，相如就和文君一起到了临邛，并将车马全部卖掉，盘下了一家酒店，专门卖酒。文君亲自主持酤酒和应对顾客之类的事情，而司马相如则穿起了犊鼻裈，和雇工们一起干活，在闹市中清洗用过的酒器。卓王孙听说这件事情之后，觉得脸上无光，就不肯出门。兄弟和长辈们都劝卓王孙说:“你有一个儿子和两个女儿，也不缺钱财。现在，文君和司马长卿已经结为了夫妻，长卿也对漂泊无依的生活感到了厌烦，他们的生活虽然贫穷，但司马相如却是一位人才，是值得依靠的。况且他又是县令王吉的贵宾，为什么你偏偏这样轻视他呢！”卓王孙没有办法，只有将自己家的一百家奴分给了文君，给了他们一百万钱，还有文君出嫁时用到的衣服被褥和各种饰物。文君和司马相于是如再次返回成都，购置了房屋和田地，成为当地富有的人家。

三

【原文】

相如口吃而善著书。常有消渴疾[①]。与卓氏婚，饶于财。其进仕宦，未尝肯与公卿国家之事，称病闲居，不慕官爵。常从上至长杨猎，是时天子方好自击熊彘，驰逐野兽，相如上疏谏之。其辞曰：

臣闻物有同类而殊能者，故力称乌获[②]，捷言庆忌，勇期贲、育[③]。臣之愚，窃以为人诚有之，兽亦宜然。今陛下好陵阻险，射猛兽，卒然遇轶材之兽，骇不存之地，犯属车之清尘，舆不及还辕，人不暇[④]施巧，虽有乌获、逢蒙之伎，力不得用，枯木朽株尽为害矣。是胡越起于毂下[⑤]，而羌夷接轸也，岂不殆哉！虽万全无患，然本非天子之所宜近也。

【注释】

①消渴疾：中国传统医学的病名，主要特征为多饮、多尿、多食及消瘦、尿甜。

②乌获：战国时秦国的大力士。与任鄙、孟贲齐名。后用作力士的泛称。

③贲、育：孟贲和夏育。孟贲是传说能够“生拔牛角”的勇士，夏育是周时著名的勇士，传说能力举千钧。

④不暇：没有空闲，来不及。

⑤毂（gǔ）下：辇毂之下。

【译文】

相如口吃，却擅长写文章。他常年患有糖尿病。司马相如和卓文君结为夫妇之后，过着富足的生活。司马相如做官后，不愿意和公卿们商讨国事，于是就假装有病赋闲在家，对官爵从来都不过分追求。他还曾跟随皇帝到长杨宫去打猎。这个时候，皇帝喜欢亲自射杀熊和野猪，并且驰马在林中追逐那些奔跑的野兽，相如针对这件事情上疏劝谏说：

臣听说，在万物当中，很多属于同一个种类，但是他们却有着不同的能力，所以就称赞乌获力大无穷，称赞庆忌轻捷善射，称赞孟贲和夏育勇猛。我很愚昧，总认为人类当中存在这样的情况，动物走兽中也应该存在这种情况。现在陛下在险阻的地方狩猎，遇到了动作敏捷的野兽，它们会在你没有丝毫戒备的时候疯狂地进犯，朝着车驾和随从猛冲过来，车驾还没来得及旋转车辕，驾车的人也就没有机会施展自己所掌握的逃生技巧，在这种情况下，即使有乌获和逢蒙的技巧，也没有办法发挥出本身具备的本领，枯萎的树木和腐朽的树桩全会变成危害。这就像胡人、越人突然出现在车轮下，羌人和夷人在后面紧紧地跟着，这难道不是非常危险的一件事情吗！虽然没有危险的事情出现，但是天子也不应该接近这样的地方啊。

四

【原文】

相如既病免，家居茂陵。天子曰："司马相如病甚，可往从悉取其书；若不然，后失之矣。"使所忠往，而相如已死，家无书。问其妻，对曰："长卿固未尝有书也，时时著书，人又取去，即空居。长卿未死时，为一卷书，曰有使者来求书，奏之。无他书。”其遗札书言封禅[1]事，奏所忠。忠奏其书，天子异之。其书曰：

伊上古之初肇，自昊穹[2]兮生民，历撰列辟，以迄于秦。率迩者踵武，逖听[3]者风声。纷纶葳蕤[4]，堙灭而不称者，不可胜数也。续昭夏，崇号谥，略可道者七十有二君。罔若淑而不昌，畴逆失[5]而能存？

【注释】

①封禅：封为“祭天”，禅为“祭地”，是指中国古代帝王在太平盛世或天降祥瑞之时祭祀天地的大型典礼。

②昊穹：指苍天。

③逖听：犹逖闻。常表示恭敬。

④葳蕤（wēi ruí）：形容枝叶繁盛，羽毛装饰华丽鲜艳的样子，也可形容植物生长茂盛的样子，也可比喻辞藻华丽。

⑤逆失：犹言悖逆失理。

【译文】

司马相如因生病而辞去了官职，住在茂陵。皇帝说：“司马相如的身体不好，病情似乎很严重，得派一个人去把他的书稿全部取回来；要不然，估计他的这些书稿以后就会散失了。”于是，皇帝就派所忠前往茂陵，但是等他到达时，司马相如已经病故了，家中并没有任何书籍。所忠便询问司马相如的妻子，她回答说：“长卿原本就没有什么书留下，平时，只要他写书，别人就会及时拿走，所以家中总是空的。长卿活着的时候，曾写过一卷书，并告诉我说，如果有使者前来取书的话，就嘱咐我将这本书献上。此外，就再也没有别的书了。”在他留下来的这本书上，全部都是关于封禅的事情，于是就将这部书给了所忠。所忠交给了皇帝，皇帝看后，非常惊异。司马相如在书中说：

从远古开天辟地开始，天下的百姓，历经了数代君王，一直到了秦朝。都遵循着近世的遗迹，聆听远古的风声。混乱不堪，被淹没不被世人称道的有很多。能够将正义发扬光大，崇尚尊号美谥，在泰山进行封禅的也只有七十二君。难道有谁是以善良施政而国家不兴盛的，逆行失德而能够让国家永久存在的吗?

儒林列传

一

【原文】

太史公曰：余读功令，至于广厉学官之路，未尝不废书而叹也。曰：嗟乎！夫周室衰而《关雎》作，幽厉微而礼乐坏，诸侯恣行，政由强国。故孔子闵[①]王路废而邪道兴，于是论次[②]《诗》《书》，修起[③]礼乐。适齐闻《韶》，三月不知肉味。自卫返鲁，然后乐正，《雅》《颂》各得其所。世以混浊莫能用，是以仲尼干七十余君无所遇，曰“苟有用我者，期月[④]而已矣”。西狩获麟，曰“吾道穷矣”。故因史记作《春秋》，以当王法，其辞微而指博，后世学者多录焉。

【注释】

①闵：忧虑，担心。

②论次：论定编次。

③修起：整理恢复。

④期（jī）月：亦作“朞月”。整月或整年。文中指整年。

【译文】

太史公说：我在阅读朝廷选取学官的法规时，当我读到广开勉励学官兴办教育之路这一政策的时候，总要情不自禁地放下书本感叹道：唉，等到周王室衰颓之后，出现了讽刺时政的《关雎》；周厉王和周幽王的治理没有起到作用，导致礼崩乐坏，于是各个诸侯王便开始随意横行，势力强大的国家不断发布政令。所以，孔子一直都在担心王道会废弛，邪道会兴起，所以就精心编制了《诗》《书》，修订礼乐。有一次，孔子到了齐国，听到了非常美妙的《韶》乐，便沉醉在其中，整整三个月都品尝不出肉的美味。等孔子从卫国回到鲁国，就开始修正音乐，让《雅》和《颂》等乐歌回到原本属于它们的位置上。但是由于当时世道混乱，竟然没有君主愿意任用他，孔子只好通过周游列国的方式，向七十多位国君求官，但是都没有获得成功。孔子感慨地说："哪怕只有一个君王愿意任用我，只要短短的一年时间，那么我就可以将国家治理好。"有人在鲁国的西郊捕获了一头麒麟，孔子听说这件事情之后，就哀叹着说"看来，我的理想是没有办法实现了"。于是，孔子依据鲁国现有的历史记录撰写了《春秋》一书，用来彰显天子的王法，这本书的文辞精约，深有韵味，寓意博大，被后世学者广泛地研读和传阅。

二

【原文】

自孔子卒后，七十子之徒散游诸侯，大者为师傅卿相，小者友教士大夫，或隐而不见。故子路居卫，子张居陈，澹台子羽居楚，子夏居西河，子贡终于齐。如田子方、段干木、吴起、禽滑釐之属，皆受业于子夏之伦，为王者师。是时独魏文侯好学。后，天下并争于战国，儒术既绌焉，然齐鲁之间，学者独不废也。于威、宣之际，孟子、荀卿之列，咸遵夫子之业而润色[①]之，以学显于当世。

【注释】

①润色：使增加光彩。

【译文】

自从孔子去世之后，原先他的七十多名学生都四散到各个国家游说诸侯，一些成就大的，成了诸侯国的老师和卿相；一些成就小的，则与士大夫结交为友；还有一部分学生则隐居不仕。所以子路住在卫国，子张住在陈国，澹台子羽住在楚国，子夏在西河教授学问，子贡在齐终老。而田子方、段干木、吴起、禽滑釐等人，曾经都受到子夏的悉心教导，之后到诸侯国当了国君的老师。当时，只有魏文侯好学，对儒学进行研习，后来战国时期兵锋四起，儒学遭到冷遇，但是齐国和鲁国的人们，一直都没有放弃对儒学的学习和研究。在齐威王、齐宣王当政时期，孟子和荀子之类的人，都对孔子的事业进行了继承和发扬，凭借着自己的学说在当世获得了盛名。

三

【原文】

申公者，鲁人也。高祖过鲁，申公以弟子从师入见高祖于鲁南宫。吕太后时，申公游学长安，与刘郢同师。已而郢为楚王，令申公傅其太子戊[1]。戊不好学，疾申公。及王郢卒，戊立为楚王，胥靡[2]申公。申公耻之，归鲁，退居家教，终身不出门，复谢绝宾客，独王命召之乃往。弟子自远方至受业者百余人。申公独以《诗经》为训以教，无传，疑者则阙不传。

【注释】

①太子戊：指刘戊，西汉楚夷王刘郢客之子，为汉封国楚国之楚王。

②胥靡：古代服劳役的奴隶或刑徒。文中指禁锢，囚禁。

【译文】

申培是鲁国人。高祖路过鲁国的时候，申公以弟子的身份和他的老师一同前往鲁国的南宫游说高祖。吕太后时期，申公来到长安游学，在老师浮丘伯门下和刘郢一起接受教育。学业完成之后，刘郢被封为楚王，于是就邀请申公当太子刘戊的老师。刘戊不喜欢学习，所以对申公非常憎恨，等到楚王刘郢去世之后，刘戊即位成了楚王，于是就囚禁了申公。申公对这件事感觉非常耻辱，于是就回鲁国隐居了起来，专心教书，终身都没有再出过家门，同时还谢绝了所有的宾客拜访，只有在受到鲁恭王刘余邀请的时候，他才前往。远方慕名前来拜访和想要跟随他学习的人有百余人。申公在对学生讲授《诗经》的时候，只对文字做训诂，并不阐述经义，其中有自己不明白的地方，就空着不讲。

四

【原文】

韩生者，燕人也。孝文帝时为博士①，景帝时为常山王太傅。韩生推《诗》之意而为《内外传》数万言，其语颇与齐鲁间殊②，然其归一也。淮南贲生受之。自是之后，而燕赵间言《诗》者由韩生。韩生孙商为今上博士。

【注释】

①博士：官名。秦汉时是掌管书籍文典、通晓史事的官职，后成为学术上专通一经或精通一艺、从事教授生徒的官职。

②殊：不一样，不同。

【译文】

韩婴，燕国人。在孝文帝时期被任命为博士，景帝时期担任了常山王刘舜的太傅。韩生在推究《诗经》旨意的时候，还撰写了《内传》和《外传》等，一共撰写了有数万言，在这些书中，他的用语和齐、鲁两地都有很大的区别，但主旨却是一样的。淮南贲生在他那里学习知识。从此之后，燕赵地区的人们在说到《诗经》的时候，都遵循着韩生的见解来进行讲授。韩生的孙子韩商则是当今皇帝的博士。

五

【原文】

诸学者多言《礼》，而鲁高堂生最本。礼固自孔子时而其经不具，及至秦焚书，书散亡益多，于今独有《士礼》，高堂生能言之。

而鲁徐生善为容。孝文帝时，徐生以容为礼官①大夫。传子至孙延、徐襄。襄，其天姿善为容，不能通《礼经》；延颇能，未善也。襄以容为汉礼官大夫，至广陵内史。延及徐氏弟子公户满意、桓生、单次，皆尝②为汉礼官大夫。而瑕丘萧奋以《礼》为淮阳太守③。是后能言《礼》为容者，由徐氏焉。

【注释】

①礼官：主管礼仪的官，又称礼生。

②尝：曾经。

③太守：原为战国时代郡守的尊称。西汉景帝时，郡守改称为太守，为一郡最高行政长官。

【译文】

很多学者都对《礼经》进行了解说，在这些解说中，最接近本义的就是鲁郡人高堂生的见解。《礼经》在孔子那个时候就不是完整的，等到秦始皇焚书之后，《礼经》丢失的篇目就更多了，如今只留下来了《士礼》，但是只有高堂生能对它进行很好的讲解。

鲁国徐生擅长演习礼仪。因此，徐生在孝文帝的时候担任了礼官大夫。后来，他传给了他的儿子，又传到了他的孙子徐延、徐襄那里。徐襄天生适合演习礼仪，但是却不能很好地理解《礼经》；徐延虽然对《礼经》有所明悟，但是却不擅长演习礼节仪式。徐襄因为擅长演习礼节仪式而被当朝任命为礼官大夫，一直做到了广陵内史的职位。徐延及徐家弟子公户满意、桓生、单次，都曾经担任汉朝的礼官大夫。而瑕丘人萧奋因为对《礼经》有所研究，而被任命做了淮阳太守。之后，凡是能够对《礼经》进行讲解并且能够演习的，都是徐家的人。

六

【原文】

董仲舒，广川人也。以治《春秋》，孝景时为博士。下帷①讲诵，弟子传以久次相受业，或莫见其面，盖三年董仲舒不观于舍园，其精如此。进退容止，非礼不行，学士皆师尊之。今上即位，为江都相。以《春秋》灾异之变推阴阳所以错行，故求雨闭诸阳，纵诸阴，其止雨反是。行之一国，未尝不得所欲。中废为中大夫，居舍，著《灾异之记》。是时辽东高庙灾，主父偃②疾③之，取其书奏之天子。天子召诸生示其书，有刺讥④。董仲舒弟子吕步舒不知其师书，以为下愚。于是下董仲舒吏，当死，诏赦之。于是董仲舒竟不敢复言灾异。

【注释】

①下帷：放下室内悬挂的帷幕。指教书。

②主父偃：汉武帝时大臣，临淄人，向汉武帝提出了“大一统”的政治主张。

③疾：憎恨，嫉妒。

④刺讥：指讽刺讥讽。

【译文】

董仲舒是广川郡人。因为他对《春秋》有所研究，所以在孝景帝的时候被任命为博士。董仲舒在家中教书的时候，有很多人上门求学，但是没有办法亲自一一进行传授，在这些弟子之间，以大带小、以旧带新的方式依次进行传授，很多人甚至都不知道他长什么样子。董仲舒足不出户，三年的时间竟然没有到屋旁的园圃进行观赏，他一心治学竟然到了这种地步。他出入时的仪容举止，全部都符合礼仪，学生都对他非常尊敬，都学习他。当今皇帝即位后，就任命他为江都的国相。董仲舒根据《春秋》一书中所记载的自然灾害和特异现象，对阴阳的道理进行推理，寻找原因，所以在求雨的时候需要将各种阳气都要关闭，以便能够释放出更多阴气，在止雨时则需要采用与之相反的方法。这种做法在江都国实行，都实现了他预期的效果。后来，董仲舒被贬，担任了中大夫一职，他在家中写了《灾异之记》一书。这个时期，辽东的高帝庙发生了火灾，主父偃对董仲舒非常嫉妒，就偷了他的这本书呈献给皇帝。皇帝召集众儒生，将这本书递给他们看，所有的儒生都认为，这本书中有浓厚的指责和讥讽朝政的意思。董仲舒的学生吕步舒并不知道这本书的原作者是自己的老师，就认为愚蠢至极，最终将董仲舒交给法官判罪，并被判处死刑，但最终皇帝还是下旨赦免了他。之后，董仲舒再也不敢讲灾异之说了。

七

【原文】

董仲舒为人廉直。是时方外攘四夷[①]，公孙弘治《春秋》不如董仲舒，而弘希世用事，位至公卿。董仲舒以弘为从谀。弘疾之，乃言上曰："独董仲舒可使相胶西王。"胶西王素闻董仲舒有行，亦善待之。董仲舒恐久获罪，疾免居家。至卒，终不治产业，以修学②著书为事。故汉兴至于五世之间，唯董仲舒名为明于《春秋》，其传公羊氏也。

【注释】

①四夷：指东夷、西戎、南蛮、北狄，泛指华夏族以外的少数民族。

②修学：研习学业，治学。

【译文】

董仲舒生性廉洁正直。当时，朝廷派兵征讨边境外的少数民族，公孙弘对《春秋》研究所获得的成就比不上董仲舒，但是他做事情的时候却能够迎合世俗，所以获得了很高的职位，做了公卿大臣。董仲舒对公孙弘的评价是阿谀逢迎。因此公孙弘对他心怀憎恨，就上书对皇帝说："只有董仲舒才可以胜任胶西王国相的职位啊。"胶西王这个人狠毒暴戾，但是听说董仲舒具有崇高的美德，于是就用礼来对待他。董仲舒害怕做官时间长了，会招来祸患，于是就称病辞官告老还乡，一直到他去世，都没有营治私产，而是潜心研究学问，著书立说，并将此作为自己的本职。所以从汉朝以后的五朝，只有董仲舒最精通《春秋》，享有很高的声望，他师承公羊氏。

八

【原文】

胡毋生，齐人也。孝景时为博士，以老归教授。齐之言《春秋》者多受胡毋生，公孙弘亦颇受焉。

瑕丘江生为《穀梁春秋》。自公孙弘得用，尝集比其义，卒[1]用董仲舒。

仲舒弟子遂[2]者：兰陵褚大，广川殷忠，温吕步舒。褚大至梁相。步舒至长史，持节使决淮南狱[3]，于诸侯擅专断，不报，以《春秋》之义正之，天子皆以为是。弟子通者，至于命大夫；为郎、谒者、掌故者以百数。而董仲舒子及孙皆以学至大官。

【注释】

①卒：完毕，最终。

②遂：通达。

③淮南狱：文中指淮南王刘安谋反的罪案。

【译文】

胡毋生是齐郡人。在孝景帝的时候，胡毋生被封为博士，后来，胡毋生因为年老而辞官返回家乡讲授《春秋》。在齐地对《春秋》进行讲解的很多人，都曾受到过胡毋生的教诲，公孙弘也曾经受教于他。

瑕丘人江生对《春秋》的穀梁学进行了研究。从公孙弘受到朝廷重用之后，就广泛收集了穀梁学和公羊学，并对这两种学说的经义进行了比较，最后采用了董仲舒所讲授的公羊氏学说。

在董仲舒的众多弟子中，兰陵人褚大、广川人殷忠和温人吕步舒的成就最大。褚大官至梁王国相。吕步舒官至长史，曾经持符节出使，对淮南王刘安谋反的事情进行判决，同时也敢于对诸侯王裁决，却不事先进行请示。他断案的根据就是依照《春秋》的经义，就连皇帝都认为他的做法非常正确。在他的弟子当中，有很多都官运通达，有的官至大夫；也有百余人担任郎官、谒者和掌故。而董仲舒的子孙也全部因为精通儒学而做了高官。

游侠列传

一

【原文】

韩子曰："儒以文乱法，而侠以武犯禁。"二者皆讥，而学士多称于世云。至如以术取宰相卿大夫，辅翼①其世主，功名俱著于春秋②，固无可言者。及若季次、原宪，闾巷③人也，读书怀独行君子之德，义不苟合当世，当世亦笑之。故季次、原宪终身空室蓬户，褐衣疏食不厌。死而已四百余年，而弟子志之不倦。今游侠，其行虽不轨于正义，然其言必信，其行必果，已诺必诚，不爱其躯，赴士之厄困④，既已存亡死生矣，而不矜其能，羞伐其德，盖亦有足多者焉。

【注释】

①辅翼：辅佐，辅助。

②春秋：这里泛指史书。

③闾巷：借指民间。

④厄困（è）：困窘，困难。

【译文】

韩非子说："儒者通过舞文弄墨扰乱国家法度，游侠通过暴力触犯国家禁令。"儒者和游侠这两种人都会受到人们的讥讽，而儒者却多被世人称道。那些通过权术来获得官职的宰相、卿、大夫等人，辅佐君王所立下的功绩，已经全部都记载到史书上了，根本就不用多说。至于像季次、原宪这两个人，他们原先都是民间百姓，潜心研究学问，修养身心，坚持独善其身、不随波逐流的君子节操，坚守自己心中的正义，不与世俗同流合污，但是也受到了人们的讥笑。因而，季次和原宪一生都生活在贫困当中，居住在空荡的陋室，甚至都没有办法满足生活所需的布衣粗食。到现在，他们已经去世了四百多年，但是却一直都被后世的弟子们缅怀着。当世的游侠，行为虽然和国家的法令有所冲突，但是却讲诚信，做事情求结果，只要是答应别人的事情，哪怕是牺牲自己的生命，也要完成。他们让处在危险境地中的人们获生，让施暴的人丧命，但是从来都不对这些事情进行夸耀，反而将对他人诉说恩德作为自己的耻辱。所以，他们身上有很多值得称颂的地方。

二

【原文】

鄙人[①]有言曰："何知仁义，已飨其利者为有德。"故伯夷丑周，饿死首阳山，而文武不以其故贬王；跖、蹻[②]暴戾，其徒诵义无穷。由此观之，"窃钩者诛，窃国者侯，侯之门仁义存"，非虚言也。

【注释】

①鄙人：居住在郊野的人。

②跖（zhí）、蹻（jué）：指盗跖和庄蹻，史上有名的大盗。

【译文】

那些居住在郊野的人流传着这样一句话："我不知道什么叫作仁义，但是只要给我好处的人我就会认为他是有道德的。"所以，伯夷一直认为侍奉周朝是一件耻辱的事情，最终在首阳山饿死了，但是周文王、周武王的声誉，并没有因为这件事情而受到影响；盗跖和庄蹻非常残暴，他们的手下却称赞他们正义凛然。这样看来，庄子说："偷了一个带钩的人都要被判处死刑，而窃国的人却成为诸侯将相；只要是王侯的门庭，一定就是仁义的。”这句话说得一点都没有错啊。

三

【原文】

古布衣之侠，靡得而闻已。近世延陵、孟尝、春申、平原、信陵之徒，皆因王者亲属，借于有土卿相之富厚，招天下贤者，显名诸侯，不可谓不贤者矣。比如顺风而呼，声非加疾，其势激也。至如闾巷之侠，修行砥名[①]，声施于天下，莫不称贤，是为难耳。然儒、墨皆排摈[②]不载。自秦以前，匹夫之侠，湮灭不见，余甚恨[③]之。以余所闻，汉兴有朱家、田仲、王公、剧孟、郭解之徒，虽时扞当世之文罔，然其私义廉洁退让，有足称者。名不虚立，士不虚附。至如朋党宗强比周，设财役贫，豪暴侵凌孤弱，恣欲自快，游侠亦丑之。余悲世俗不察其意，而猥以朱家、郭解等令与暴豪之徒同类而共笑之也。

【注释】

①砥名：砥行立名。

②排摈：排斥，摈弃。

③恨：指遗憾。

【译文】

古时候民间的那些游侠，我们已经不得而知了。但是近代的延陵季子、孟尝君、春申君、平原君、信陵君等人，都是国君的亲属，依靠着卿相的地位和被封地区的财产，招揽天下的贤才，拥有显赫的名声，不能不说他们都是贤能的人。这就好像是顺着风大声呼喊，声音并没有加强，只是风势让声音显得更强。至于那些布衣游侠，他们修养自己的品德，砥砺名节，使自己的名声显扬，没有人不对他们的贤能进行称赞，这才是非常难得的啊！然而，儒家、墨家都对游侠非常排斥，对游侠的事迹都没有记载。在秦朝以前，民间的游侠，都被埋没在了历史的洪流中，没有被记载在史籍上，对于这点，我感到非常遗憾。根据我所知道的情况，汉朝建国以来，朱家、田仲、王公、剧孟、郭解等人，虽然有时候触犯到法律，但是他们的品行却廉洁谦让，有很多值得称赞的地方。他们的名望不是凭空而来的，士人也不是平白无故地依附他们的。至于那些结党营私的人，他们和豪强依仗自己手中的权势狼狈为奸，对贫穷百姓进行奴役，依仗手中的权势对势单力薄的人进行欺凌，纵情取乐，深得游侠憎恨。我感到可悲的是，世俗之人没有明白游侠心中的想法，就随便将朱家、郭解等人和残暴豪强混为一谈，甚至还讥笑他们。

四

【原文】

楚田仲以侠闻，喜剑，父事朱家，自以为行弗及。田仲已死，而雒阳有剧孟。周人以商贾为资，而剧孟以任侠显诸侯。吴楚反时，条侯[①]为太尉，乘传车将至河南，得剧孟，喜曰："吴楚举大事而不求孟，吾知其无能为已矣。"天下骚动[②]，宰相得之若得一敌国云。剧孟行大类朱家，而好博，多少年之戏。然剧孟母死，自远方送丧盖千乘。及剧孟死，家无余十金之财。而符离人王孟亦以侠称江淮之间。

【注释】

①条侯：西汉周亚夫的封号。

②骚动：动荡，不安宁。

【译文】

楚地的田仲作为侠客，享有很高的名声，他喜欢剑术，用对待父亲的态度去对待朱家，认为自己的操行是没有办法和朱家进行比较的。田仲死后，洛阳出现了一个名为剧孟的人。洛阳人依靠经商维持自己的生活，剧孟则是因为行侠而在诸侯之间享有声誉。吴、楚七国叛乱的时候，条侯周亚夫是当时的太尉，他乘坐驿站的车子，在洛阳收服了剧孟，他兴奋地说："吴、楚七国叛乱，却没有请求剧孟的帮助，我知道他们是无所作为的。"天下动乱，周亚夫获得了剧孟，就像获得了一个国家。剧孟的行为很像朱家，但是却喜欢博棋，大部分都是青年人喜欢的游戏。剧孟的母亲去世之后，从远方前来送葬的，大概有上千辆车子。在剧孟去世时，他的家里甚至拿不出十金。就在这个时候，符离人王孟因为行侠，也在江淮一带闻名。

五

【原文】

解入关，关中贤豪知与不知，闻其声，争交欢解。解为人短小，不饮酒，出未尝有骑。已又杀杨季主。杨季主家上书，人又杀之阙下。上闻，乃下吏捕解。解亡，置其母家室夏阳，身至临晋。临晋籍少公素不知解，解冒，因求出关。籍少公已出解，解转入太原，所过辄告主人家。吏逐之，迹至籍少公。少公自杀，口绝。久之，乃得解。穷治所犯，为解所杀，皆在赦前。轵有儒生侍使者坐，客誉郭解，生曰："郭解专以奸犯公法，何谓贤！"解客闻，杀此生，断其舌。吏以此责解，解实不知杀者。杀者亦竟绝，莫知为谁。吏奏解无罪。御史大夫公孙弘议曰："解布衣[1]为任侠行权，以睚眦[2]杀人，解虽弗知，此罪甚于解杀之。当大逆无道。"遂族郭解翁伯。

【注释】

①布衣：指平民百姓。

②睚眦（yá zì）：借指极小的仇恨。

【译文】

郭解到了关中地区之后，不管以前是否知道他名字的关中贤人和豪杰，在听到郭解的名声之后，都争先恐后地想要和他结交。郭解身躯短小，不饮酒，出门从不骑马。后来，郭解又杀死了杨季主。杨季主的家人上书状告郭解，但是又有人将这些告状的人杀死在宫门下。皇帝听说这些事情之后，就下令抓捕郭解。郭解不得已出逃，并将自己的母亲和家眷安排在夏阳，他自己则逃到了临晋。把守临晋的籍少公以前从来没有见过郭解，郭解就冒然地去拜见了籍少公，并且请求出关。籍少公于是放走了他，郭解辗转到了太原，他每到一个地方，总要将自己的情况告诉收留他的人家，官吏一路追捕郭解，到了籍少公的家里。籍少公没有办法只好自杀，同时也断绝了线索。很久之后，衙役们才逮到了郭解，追究他的罪行，发现很多人都被郭解陷害杀死，其中还有很多是他在赦令公布之前干的。有一次，一个轵县的儒生和负责郭解案件的使者闲坐，座中有人称赞郭解，儒生说："郭解专做奸邪犯法的事，怎么称得上是一位贤人呢？"门客们听到这些话之后就杀了这个儒生，并割下他的舌头。因为这件事，郭解受到了官吏的严厉责问，让他交出真正的杀人凶手，但是郭解并不知道这件事究竟是谁做的，所以，凶手一直都没有被查出来。官吏在给皇帝的报告上说，郭解是没有罪行的。御史大夫公孙弘则说："郭解凭借自己布衣的身份行侠弄权，常常因为一些微不足道的小事杀人，他自己虽然并不知情，但是他的行为比他自己杀人还要严重很多，理应判他个大逆不道。"于是，郭解的家族就被诛杀了。

六

【原文】

太史公曰：吾视郭解，状貌不及中人[1]，言语不足采者。然天下无贤与不肖，知与不知，皆慕其声，言侠者皆引以为名。谚曰："人貌荣名，岂有既乎！"於戏[2]，惜哉！

【注释】

①中人：普通人，一般人。

②於戏：感叹词，可独立成句，表示赞美、称颂或感叹。可译为"啊""呀""唉""哎呀"等。

【译文】

太史公说："在我看来，郭解的相貌甚至都不如平常的人，语言也并没有出众的地方。但是普天之下的百姓，不管是贤能的人才还是不肖之人，也不管自己是不是认识他，都对他的名声无比仰慕，在谈论游侠的时候，都喜欢带上郭解，用以提高自己的声誉。有句谚语这样说：'如果一个人用名誉作为自己的容貌，这难道还会有穷尽吗？'唉，真是很可惜啊！"

太史公自序

一

【原文】

迁生龙门，耕牧河山之阳。年十岁则诵古文[1]。二十而南游江、淮；上会稽，探禹穴；窥九疑，浮[2]于沅、湘；北涉汶、泗，讲业[3]齐、鲁之都，观孔子之遗风，乡射[4]邹、峄；厄困鄱、薛、彭城，过梁、楚以归。于是迁仕为郎中，奉使西征巴、蜀以南，南略[5]邛、筰、昆明，还报命[6]。

【注释】

①古文：用先秦古文字写的书。

②浮：行船，航行。

③讲业：研讨学问。

④乡射：古代的射礼。

⑤略：巡行，夺取。

⑥报命：复命。

【译文】

司马迁出生在龙门，曾经在龙门山南过着耕田和放牧的生活。十岁的时候就开始学古文。二十岁的时候就开始游历，去过江淮一带，还登过会稽山，探访过禹穴，还去过九疑山，探察过舜的坟墓，之后乘船到过沅水和湘水；之后又北上到了汶水、泗水，在齐、鲁的旧都研讨过学问，领略过孔子的遗风，去邹县、峄山参加过乡射之礼；之后又经过鄱、薛、彭城，以及梁、楚回到了自己的家乡。没过多久，司马迁就进京做了郎中，并奉命去了巴蜀以南，去过邛都、筰都，以及昆明，然后才返回来向朝廷复命。

二

【原文】

是岁[1]天子始建汉家之封，而太史公留滞周南，不得与从事，故发愤且[2]卒。而子迁适使反，见父于河洛之间。太史公执迁手而泣曰："余先周室之太史也。自上世尝显功名于虞夏，典天官事。后世中衰，绝于予乎？汝复为太史，则续吾祖矣。今天子接千岁之统，封泰山，而余不得从行，是命也夫，命也夫！余死，汝必为太史；为太史，无[3]忘吾所欲论著矣。且夫孝始于事亲，中于事君，终于立身。扬名于后世，以显父母，此孝之大者。夫天下称诵周公，言其能论歌文武之德，宣周邵之风，达太王王季之思虑，爰及公刘，以尊后稷也。幽厉之后，王道缺，礼乐衰，孔子修旧起废，论《诗》《书》，作《春秋》，则学者至今则之[4]。自获麟以来四百有余岁，而诸侯相兼，史记放绝[5]。今汉兴，海内一统，明主贤君忠臣死义[6]之士，余为太史而弗论载，废天下之史文，余甚惧焉，汝其念哉！”迁俯首流涕曰：“小子不敏，请悉论先人所次[7]旧闻，弗敢阙[8]。”

【注释】

①是岁：这年。

②且：将要。

③无：通“毋”，不要。

④则之：以……为准则。

⑤放绝：弃置中断。

⑥死义：为义而死。

⑦次：按次序编列，排列。

⑧阙：遗漏。

【译文】

这年，汉武帝首次去泰山举行封禅大典，而太史公因病被迫留在周南，不能随从参加封禅大典，他觉得非常遗憾，因为伤心而使病情加重，甚至生命垂危。这个时候他的儿子司马迁出使回来了，父子二人在洛阳相见。太史公拉着儿子的手哭着说：“我们的祖先是周朝的太史，在虞夏时就有显赫的功名，主要管理天文之事。之后逐渐衰落，难道如今是要断送在我这一辈吗？如果你能当上太史，那就继承了我们祖先的事业。如今天子上接千年来已经断绝的大典，去泰山举行封禅典礼，可是我不能随从，这就是命，是命啊！等我死了之后，你一定会做太史；做了太史之后，一定不能忘了我要写的著作。孝道最基本的就是侍奉父母，进而侍奉国君，最终建功立名，使自己功名远扬，让父母脸上有光，这才是最大的孝道。自古以来，人们称赞周公，说他能歌颂文王、武王的公德，宣扬周、邵之风尚，懂得太王、王季的思想，上至公刘，推尊到他们的始祖后稷。从周幽王、厉王以来，王道逐渐衰落，礼乐崩颓，孔子整理以前的文献，修复了被丢弃的礼乐，他讲述了《诗》《书》，还编撰了《春秋》，一直到现在，学者们还将它作为行为准则。从鲁哀公获麟以来四百多年，诸侯之间兼并、战乱不断，当时的史书几乎都丢失了。当今汉朝兴盛，国家一统，圣明的君主、忠臣很多，我身为太史不能将这些记录评论，导致历史文献荒废，这让我深感遗憾，你一定要记住啊！”司马迁低着头流着泪说：“虽然我不是很聪明，但我一定会认真地按次序整理好史实，绝不会有半点遗漏。”

三

【原文】

卒三岁而迁为太史令，紬①史记石室金匮之书。五年而当太初元年，十一月甲子朔旦冬至，天历始改，建于明堂②，诸神受纪。

【注释】

①紬：缀集。

②明堂：古代帝王宣明政教的地方。

【译文】

太史公司马谈离开人世三年之后，司马迁做上了太史令，于是他开始收集史料，翻阅国家图书馆收藏的历史文献。五年之后，也就是太初元年，这年的十一月初一即甲子日凌晨冬至，国家改用新历法，在明堂举行了新法的颁布典礼，诸神皆受瑞纪。

四

【原文】

太史公曰："先人[①]有言：'自周公卒五百岁而有孔子。孔子卒后至于今五百岁，有能绍明世，正《易传》，继《春秋》，本[②]《诗》《书》《礼》《乐》之际？'意在斯乎！意在斯乎！小子何敢让[③]焉。"

【注释】

①先人：指司马谈。

②本：以……为本，以……为根据。

③让：辞让，推辞。

【译文】

司马迁说："先人说过：'自从周公死后五百年，出现了孔子。孔子死后到现在又是五百年，有谁可以继承圣人的事业，能正确理解《易传》，能接着续写《春秋》，根据《诗》《书》《礼》《乐》的意义来著书呢？'他的意思大概就在此，就在此吧！我怎么可以推辞呢。"

五

【原文】

于是论次[①]其文。七年而太史公遭李陵之祸，幽于缧绁[②]。乃喟然而叹曰："是余之罪也夫！是余之罪也夫！身毁不用矣。"退而深惟[③]曰："夫《诗书》隐约者，欲遂[④]其志之思也。昔西伯[⑤]拘羑里，演《周易》；孔子厄[⑥]陈蔡，作《春秋》；屈原放逐，著《离骚》；左丘失明，厥[7]有《国语》；孙子膑[8]脚，而论兵法；不韦迁蜀，世传《吕览》；韩非囚秦，《说难》《孤愤》；《诗》三百篇，大抵贤圣发愤之所为作也。此人皆意有所郁结，不得通其道也，故述往事，思来者。”于是卒述陶唐以来，至于麟止，自黄帝始。

【注释】

①论次：按次序论述。

②缧绁（léi xiè）：系犯人的绳索，指牢狱。

③惟：思，考虑。

④遂：通，达。

⑤西伯：指周文王。

⑥厄（è）：穷困，灾难。

⑦厥：乃，才。

⑧膑（bìn）：膝盖骨。

【译文】

于是司马迁开始整理、编排手中的史料。写到第七年的时候，由于司马迁遭遇李陵之祸，被关进了大牢。于是感叹道：“是我的罪过啊！是我的罪过啊！身体遭到毁伤，没有用处了。”可是转念一想，又说：“《诗》《书》的意义虽然含蓄，但却表达了作者内心的真实想法。以前周文王被关在羑里，演绎了《周易》；孔子在陈蔡两国遭遇困厄时，写下了《春秋》；屈原被流放的时候，写出了《离骚》；左丘明双眼失明，却编写了《国语》；孙膑双腿断了，才写下《兵法》；吕不韦被贬到巴蜀，世上才得以流传《吕览》；韩非在秦国被囚禁，才写下了《说难》《孤愤》；《诗》三百篇，多数也都是圣人们为抒发愤懑而写就的。这些人都是心中聚集郁闷忧愁，理想主张不能实现，因而追述往事，思考未来。”于是司马迁就下定决心记述陶唐以来一直到武帝获麟的历史，从黄帝开始。